長沢寿夫

長沢英語塾塾長

中学·高校
6年分

言いたい
ことが

10　で

話せる本

明日香出版社

はじめに

みなさん、こんにちは!
長沢寿夫です。
たぶん日本でいちばん、中学英語の本を書いています。
授業でイマイチだった英語をちゃんとわかりたい中学生や高校生、
中学レベルから英語をやりなおしたいおとなのみなさんに、
だれよりもやさしく英語を解説してきた自信があります。
この『中学·高校6年分の英語』のシリーズもそうした方々に読んでいただいて、この本を書いている時点で38万部を超えました。

今回は、この本で「中学·高校レベルの英語を使って、言いたいことを話せる」ようになることを目指しました。
一言でいうと「スピーキング」の本です。

書いてある英語を読むことにくらべて、自分で英文を作って話すことは格段にむずかしいものです。
「主語はまず何て言えばいいんだろう」
「現在形で言うのかな、過去形かな」
「この順番でまちがえではないかな」
「そもそも単語がパッと出てこないな」
「こんな棒読みの英語で伝わるのかな」
英語で話してみると、そういう悩みにすぐぶち当たるでしょう。

私は、英語が母国語ではない私たちにとっては、スラング(俗語)

のようなこなれた英語を話せることよりも**「どんな人にも理解してもらえる」「正しい」 英語**を話す努力をすることの方が大事だと思っています。なぜなら、世界には母国語として英語を話す人よりも、私たちのように第二外国語として英語を話そうとしている人の方がずっと多いからです。
正しい文法で話すよう心がけていれば、試験のスピーキングテストでも、まず減点されることがありません。

ですから、この本では中学レベルのなるべく**かんたんな英単語**を使って、**やさしい英文**を**正しく組み立て**、話してもらえるように工夫(くふう)しました。左ページの日本語を英語に直すにはどう考えたらよいか解説を加え、組み立て方をお見せしています。

付属(ふぞく)のCD（明日香出版社のホームページからダウンロードもできます）には＜**日本語→英語**＞の順に音声が入っています。日本語文の後に少し間が空いていますから、自分で組み立てた英語を話して、すぐ後に流れる**英語の音声で答え合わせ**をしてみてください。
答え合わせができたら、**何度も音読**をすると、よい勉強になります。
しっかり理解できた基本の文を耳から入れて、口から出すことで**英語らしい発音やリズム**が身につきますよ。
10日間で目覚ましい上達をすることでしょう。

最後に、私の好きなことばを贈ります。
「喜びをもって勉強すれば、喜びもまたきたる」
2021年1月　長沢寿夫

●英語らしく話そう

●英文に強弱をつける

英語は、文の中で思い切って強く／弱く言うと、リズムができて、一気に英語らしく話すことができるようになります。

たとえば英語を自然に話すとき、強 弱のリズムはこうなります。

Do you know the girl who is running òver thére?
動詞 名詞 形容詞 副詞句

Yes, I do. （あなたはあそこで走っているその少女を知っていますか？ はい、知っています。）

My father is old but vèry stróng.
名詞 形容詞 副詞 形容詞

（私の父は年はいっているが、とても丈夫です。）

　　　のところは強く、　　　のところは弱く言います。

強くなるところが、2つの単語で1つのかたまりになっているときは、2つ目をより強く言います。

強く言う語、弱く言う語には大まかな決まりがあります。

強く言う

名詞	動詞	形容詞	副詞
例 flower, trip	learn, sleep	beautiful, big	here, well

疑問詞	数詞	指示代名詞
what, who, when	one, two	this, that

文の最後にくる助動詞 do, can, be動詞

弱く言う			
前置詞	冠詞	助動詞と助動詞のはたらきをするもの	
例 of, about	a, the	will, can, may, do, be動詞	
接続詞	関係代名詞	関係副詞	代名詞
and, but	that, which	when, where	it, one

●強弱で意味をあらわす

ただしこれらは、あくまで決まりであって、例外もたくさんあります。同じ英文でも、強く言うところをかえて、いろいろな意味をあらわすことができます（強調については67項で詳しくお話ししています）。

例 Tony is a good teacher.

❶ ❷ ❸ ❹

❶良い教師なのは、ほかでもないトニーなんですよ。

❷トニーは良い教師なんですよ、本当ですよ。

❸トニーはそれはそれは良い教師なんですよ。

❹トニーは良い（学生などではなく）教師なんですよ。

●語のかたまりの中での強弱をつける

英語は、意味のかたまりごとに強弱をつけて言うことがあります。

名詞＋名詞、形容詞＋名詞のとき

単語が2つ並んでいる場合、「名詞＋名詞」のときは1つ目、「形容詞＋名詞」なら2つ目の語を強く言います。

例
- an English teacher（英語の先生） 名詞＋名詞
- an English teacher（イギリス人の先生） 形容詞＋名詞

頭文字（頭文字でつくられた略語）、人名、地名、固有名詞のとき

単語が2つ並んでいる場合は、2つ目を強く言うのが原則です。

例 TV（テレビ）、Goro Ikegami（池上悟朗）、New York（ニューヨーク）、Harvard University（ハーバード大学）

3つの単語から成り立つときは、強 弱 強 となるように、一番目とおわりの語を強く発音します。一番目とおわりをくらべると、おわりの方が強いと英語らしく聞こえます。

例 NHK、New York City（ニューヨーク市）
Harvard University student（ハーバード大学の学生）

●区切ってリズムをつける

英語には、1つのまとまった意味をなすかたまりを、一気に言うという決まりがあります。

例 a pen, a red pen　など

,（コンマ）のところ

少しきって、軽く上げぎみに言います。ただし、Yes, I do. はきる必要ありません。

.（ピリオド）のところ

完全にきります。文の最後を下げます。

接続詞 または 関係代名詞

次にくる語句とくっつけて言います。

例 I think ＋ that you should study harder.
（私は思います）（あなたはより熱心に勉強すべきだと）

to ＋動詞の原形

to ＋動詞の原形の前は必ずきります。

例 I wish ＋ to pass the exam.
（私は希望する）（その試験に合格することを）

主語が長いとき

動詞の前できります。

例 What you say ＋ is true.
（あなたの言うこと）は正しい

目次

+please だけでこんなに話せる

2日目 基本の文と言いかえ

質問する・否定する

4日目 いろいろな動詞を使いこなす

5日目 時制❶現在形と過去形

6日目 時制❷現在完了形と進行形

7日目 気持ちを伝える助動詞・過去形

to と ing と過去分詞形

接続詞と仮定法

説明や意見をのべる

音声ダウンロードについて

付属のCDと同じ内容の音声データ（mp3）をダウンロードできます。
パソコンもしくは携帯端末でアクセスしてください。

https://www.asuka-g.co.jp/dl/isbn978-4-7569-2131-4

※収録内容は、日本語　→　英語　です。
※音声ファイルは、一括ダウンロードも個別で聞くこともできます。
※音声の再生には、mp3ファイルを再生できる機器などが必要です。
　ご使用の機器、音声再生ソフトなどに関する技術的なご質問は、
　ハードメーカーもしくはソフトメーカーにお願いいたします。
※音声ダウンロードサービスは予告なく終了することがございます。

カバーデザイン　:藤田 美咲（fuzico design）
カバー +本文イラスト :田島 ミノリ（MINORIE Design）
本文イラスト　　:今井 喜和子（キープデザイン）

1日目

+please だけで こんなに話せる

01 名詞 , please. で「～をください。」を伝える

**英語を話そうとしても、なかなか口から出てこないという人は
まずは「名詞（物の名前），please.」で
英語を話すことから始めましょう。**

下のフレーズを、英語で話してみましょう！

1 コーヒーをください。

2 ミルクをください。

3 コカコーラをください。

4 会計をお願いします。〔勘定書（かんじょうがき）をください。〕

ここが大切！

名詞（物の名前）**の次にplease**をつけるだけで「～をください」というていねいな気持ちを伝えられます。

人の名前の次にpleaseをつけると、「～さんをお願いします。〔電話で〕」と頼（たの）むことができます。

ここをまちがえる！

相手に何かをすすめるときに、名詞, please. を使うことはできません。

例 ミルクをどうぞ。〔ミルクはいかがですか。〕
✕ Milk, please.　〇 How about some milk?

これだけは覚えましょう

酒井直美さんをお願いします。〔電話で〕
Ms. Naomi Sakai, please.

サインをお願いします。
Autograph, please.
有名人のサイン　発音〔オートグゥレアフッ〕

ここで使う単語 

くださいplease〔プリーズッ〕

コーヒー coffee〔コ（ー）フィ〕

ミルク milk〔ミオクッ〕

コカコーラ〔商標（しょうひょう）〕Coke〔コーゥクッ〕（ふつうに使うときはcokeでもよい。）

勘定書 check〔チェックッ〕

track 01

1 Coffee, please.

2 Milk, please.

3 Coke, please.

4 Check, please.

練習問題

次の日本語を英語で言ってみましょう。

（1）お茶をください。　お茶: tea〔ティー〕

（2）水をください。　水: water〔ウォータァ〕

（3）塩をください。　塩: salt〔ソーオトゥッ〕

（1）Tea, please.

（2）Water, please.

（3）Salt, please.

(1) ふつうは、tea といえば紅茶をさします。
はっきりと紅茶と日本茶を区別したいときは、黒い色をした紅茶はblack tea、緑色の日本茶はgreen tea または Japanese tea と言います。

勘定（かんじょう）は別々にしてください。 Separate checks, please.
（Separate: 別々の〔セパゥレットゥッ〕）

02 形容詞＋名詞，please. で、「〇〇な～をください。」を伝える

名詞の前に形容詞をおいて please. と伝えることで、
どのようなものがほしいかを、
くわしく相手に伝えることができます。

下のフレーズを、英語で話してみましょう！

1 コーヒーをブラックでお願いします。

2 冷たいミルクをお願いします。

3 コカコーラの大をお願いします。

4 コカコーラの小をお願いします。

ここが大切！

●**名詞**（物の名前）をくわしく説明したいときに、
形容詞を使ってどんな様子、どんな状態かをあらわします。

例 good（良い）-bad（悪い）、
young（若い）-old（古い、年とった）、
など、対（つい）になる表現をいっしょに覚えて使いましょう。

ここをまちがえる！

●2つ以上の形容詞で名詞を説明することもできます。

例 two（2個の）old（古い）red（赤い）bricks（レンガ）

●all（すべての）、any（何か）などは次の表現のように、, please. をつけて、決まった言い方をする場合があります。

Any（何か）other（他の）＋questions（質問）, please. ＝他に質問はありますか。

All（すべての） the（その）＋money（お金）, please. ＝そのお金をぜんぶください。

No（だめ） more（もっと多くの）＋work（仕事）, please. ＝もうこれ以上の仕事はかんべんしてください。

large を big に、small を little に言いかえることができますか。

できません。

だれが見ても大きい、または**小さいと思う**ものの場合のみに、large または small を使います。

何かを見て大きいなあと思ったときは big、小さくてかわいいなあと思ったときは little を使います。

track 02

1 Black coffee, please.

2 Cold milk, please.

3 Large Coke〔coke〕, please.

4 Small Coke〔coke〕, please.

練習問題

次の日本語を英語で言ってみましょう。

（1）少しミルクをください。　**少し:** some〔スムッ〕

（2）もっとコーヒーをください。　**もっと:** more〔モーァ〕

（3）こっちのものをください。　こっちのもの: this one〔ずィスッ　ワンヌ〕

（1）Some milk, please.

（2）More coffee, please.

（3）This one, please.

（1）少しの、という意味を some であらわしています。

（2）もっと多くの、という意味を more であらわしています。

（3）何かを選んでいるときに、品物の名前を言わずに one を使うことができます。

03 No＋名詞, please. で、「～ないでください。」を伝える

「やめてほしい」「しないでほしい」ときも、
no と please で相手にわかりやすくお願いすることができます。

下のフレーズを、英語で話してみましょう！

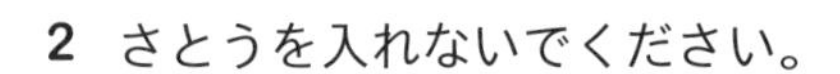

1 タバコをすわないでください。

2 さとうを入れないでください。

3 なみだを流さないでください。

4 カメラを持ちこまないでください。

ここが大切！

No＋名詞, please. の No で**禁止**や**反対**の気持ちを伝えます。

(2) No sugar, please.
「さとうをまったく入れないで」という断りの気持ち

(3) No tears, please.
「1つぶもなみだを流さないで」という反対の気持ち

ここが大切！

no の次に動詞に ing をつけて、名詞として使うことができます。

NO SMOKING　禁煙（きんえん）
NO PARKING　駐車禁止（ちゅうしゃきんし）

のように、掲示（けいじ）などでよく使われますが、No smoking, please. のようにすれば、タバコをすっている人に、「タバコをすわないでください。」のように言うこともできます。

noの次にくる名詞は、**1つであるのがふつう**のときと、**数えられない名詞**のときは、名詞にsをつけません。

例 No milk, please. 「ミルクを入れないでください。」

それに対して、2つ以上であるのがふつうの場合は、名詞にs をつけます。

例 No glasses, please. 「めがねをかけないでください。」

track 03

1 No smoking, please.

2 No sugar, please.

3 No tears, please.

4 No camera, please.

練習問題

次の日本語を英語で言ってみましょう。

（1）車をとめないでください。　駐車する: park〔パークッ〕

（2）くつを脱（ぬ）いでください。　くつ: shoe〔シュー〕

（3）静かにしてください。　うるさい音: noise〔ノーィズッ〕

（1）No parking, please.

（2）No shoes, please.

（3）No noise, please.

（2）くつは、左と右のくつがそろってはじめてshoes、一方だけだとa shoeと言います。一対（いっつい）〔ペア〕でshoesなので、まちがえないようにしましょう。

例 このくつは新しい。
These shoes are new. / This pair of shoes is new.

例 これらのくつは新しい。
These shoes are new. / These pairs of shoes are new.

04 動詞, please. で、「～してください。」と頼(たの)める

動詞の次に please をつけて、相手に何かしてくれるようお願いすることができます。

下のフレーズを、英語で話してみましょう！

1 見てください。

2 聞いてください。

3 助けてください。

4 まってください。

ここが大切！

●Look! など動詞だけでも言いたいことは伝わります。でも、相手にお願いしたことをきちんとやってもらいたいならば、～ , please をつけましょう。

例 助けて！ 助けてください。
Help! → Help, please.

発音 please は弱く発音しても十分伝わります。

●Please＋動詞. の順番にしても、ほとんど同じ意味をあらわすことができます。

? Please からはじめる場合と、最後に please をつけるときと意味のちがいはあるのですか。

どちらかというと、**Please からはじめてある方がていねい**な言い方であるという人もいます。

例 Please listen.
「どうか聞いてください。」

例 Listen, please.
言いわけをしたくて、「まぁ聞いてくださいよ。」と言うときに使えます。

※もっとていねいなお願いのしかたはp.164

track 04

1 Look, please.

2 Listen, please.

3 Help, please.

4 Wait, please.

練習問題

次の日本語を英語で言ってみましょう。

(1) 気をつけてください。　気をつける・じっと見る: watch〔ワッチッ〕
(2) 覚えていてください。　覚えている: remember〔ゥリメンバァ〕
(3) 止まってください。　止まる: stop〔スタップッ〕

(1) Watch, please.
(2) Remember, please.
(3) Stop, please.

(1) watchには、じっと見る、という意味のほかに、危険(きけん)なことにならないかと気をつける、という意味があります。
(2) 忘れないでください。という意味でrememberを使っています。
(3) 標識(ひょうしき)などでは、STOP!(止(と)まれ)という意味で使われます。
stopとは、「動いているものが止まる」という意味です。

05 動詞 and 動詞, please. で、相手にしてもらいたいことをわかりやすく伝えられる

〜するために……してください。
……して、〜してください。
どんどん〜してください。と、頼(たの)めます。

下のフレーズを、英語で話してみましょう！

1 助けに来てください。

2 歌っておどってください。

3 聞いて書き取ってください。

4 どんどん酒を飲(の)んでください。

ここが大切！

「動詞 and 動詞, please.」で上の４つの意味をあらわせます。

（意味1）**目的**　助けるために来てください。＝来て、そして助けてください。
Come and help, please.

（意味2）**同時に**　歌って、そしておどってください。
Sing and dance, please.

（意味3）**前後関係**　聞いて、そして書き取ってください。
Listen and write, please.

（意味4）**強調（同じことばをはさむ）**　どんどん酒を飲んでください。
Drink and drink, please.

発音 and は弱く、前後の動詞を強くよむと、文にリズムが出ます。

これだけは覚えましょう

andは前とうしろのことばをつなぐ「そして」の意味です。

andでつながれる前とうしろのことばは、〔名詞 and 名詞〕のように、**同じ性格をもつ単語**をおきましょう。

○ cats and dogs（cats：名詞、dogs：名詞）
○ sing and dance（sing：動詞、dance：動詞）
○ happy and rich（happy：形容詞、rich：形容詞）

✕ nice and drink（nice：形容詞、drink：動詞）

track 05

1 Come and help, please.

2 Sing and dance, please.

3 Listen and write, please.

4 Drink and drink, please.

練習問題

次の日本語を英語で言ってみましょう。

（1）すわってリラックスしてください。　すわる: sit〔スィッ・〕　リラックスする: relax〔ゥリレァックッスッ〕

（2）食べに来てください。　食べる: eat〔イートゥッ〕

（3）どんどん食べてください。

（1）Sit and relax, please.
（2）Come and eat, please.
（3）Eat and eat, please.

（1）と（2）は、～するために……してください＝……して、～してください。
（3）は、同じ動詞を2回くり返すことで、どんどん～する、と意味を強めることができます。

06 Come〔Go〕and 動詞＋目的語, please. で「～するために来て〔行って〕ください。」をあらわす

come and 動詞＋目的語の and を to に言いかえられます。
go and 動詞＋目的語の and を to に言いかえられます。

下のフレーズを、英語で話してみましょう！

1 遊びに来てください。〔私に会いに来てください。〕

2 私をたずねて来てください。

3 こっちへ来て、私たちと仲間になってください。

4 私を手伝いに来てください。

ここが大切！

toとand が同じ意味をあらわすことがあります。※to不定詞の説明はp.182

●ここでand のかわりに使えるtoは、～するために、をあらわします。

例 私を手伝うために来てください。
Come to help me, please.
目的 するために

例 来て、私を手伝ってください。
Come and help me, please.＝Come to help me, please.
そして

アメリカ英語では and やto を 言わないことが よくあります

ここをまちがえる！

話し手に近づいて「行く」または「来る」ときはcome、遠ざかって「行く」ときはgoを使います。

「遊びに来てください。」をCome and play with me, please.と言わないでください。
この表現は、子供が使う分には問題ありませんが、おとなが使うと、「（性的な）遊びをいっしょにしに来てください。」と受け取られてしまう可能性があるので、要注意です。

track 06

1 Come and see me, please.

2 Come and visit me, please.

3 Come and join us, please.

4 Come and help me, please.

練習問題

次の日本語を英語で言ってみましょう。

（1）トニーを手伝いに行ってください。
（2）直美さんに会いに行ってください。
（3）直美さんを手伝いに行ってあげてください。

（1）Go and help Tony, please.
（2）Go and see Naomi, please.
（3）Go and help Naomi, please.

（2）see には、～を見ると～に会うという意味があります。
（3）help には、～を助けると～を手伝うという意味があります。

07 どんなに、を伝えて動詞をくわしく説明できる

動詞の次に、in（中に）、down（下に）、hard（熱心に）、home（家に）、slowly（ゆっくり）、again（もう一度）などのことばをおいて、どんなふうにしてもらいたいのかを、伝えることができます。

下のフレーズを、英語で話してみましょう！

1　中に入ってください。

2　すわってください。

3　一生けん命にはたらいてください。

4　家にいてください。

come in

sit down

文のつくり方を覚えましょう

（1）来る　＋　中に

Come　in, please.

（2）すわる　＋　下に

Sit　down, please.

（3）はたらく　＋　一生けん命に

Work　hard, please.

（4）ある場所にとどまる　＋　家に

Stay　home, please.

動詞＋副詞のときは、副詞の方をより強く言います。

ここをまちがえる！

「入ってください。」と部屋の中にいる人が言うときはCome in, please.
「入ってください。」と部屋の外にいる人が言うときは、Go in, please.と言います。

ここが大切！

副詞とは、動詞をくわしく説明するときに使うことばです。副詞のはたらきはおまけなので、そのことばがなくても、残った動詞だけで意味がわかれば、そのことばは、副詞のはたらきをしています。

ここで使う単語

中に入る　come in 〔カミンヌ〕

すわる　sit down 〔スイッ・ダーゥンヌ〕

一生けん命に、熱心に　hard 〔ハードゥッ〕

はたらく　work 〔ワ～クッ〕

家に　home 〔ホーゥムッ〕

ある場所にとどまる　stay 〔ステーィ〕

track 07

1 Come in, please.

2 Sit down, please.

3 Work hard, please.

4 Stay home, please.

練習問題

次の日本語を英語で言ってみましょう。

（1）ゆっくり話してください。　　ゆっくり: slowly 〔スローゥリィ〕

（2）もっとゆっくり話してください。　　もっと: more〔モーァ〕

（3）もう一度やってください。　　もう一度: again〔アゲンヌ〕

（1）Speak slowly, please.

（2）Speak more slowly, please.

（3）Try again, please.

（1）slowly （ゆっくり）

（2）slowly を強めて言いたいときに、more（もっと）を使います。

（3）もう一度やってください。＝もう一度トライしてください。

and を使って、「ゆっくり、そして、はっきり」と言いたいときは、slowly and clearly〔クリアリィ〕と言います。

08 Stay home, please. を Stay home. Please. にすると、イライラ感をあらわせる

なかなか動かない相手にイラ立ちながらもお願いしたいときは、~, please. のかわりに、~. Please. のようにいったん文をきって、Please を強く気持ちをこめて言いましょう。

下のフレーズを、英語で話してみましょう！

1 ずっと家にいてね。お願いだから。

2 熱心に勉強してね。お願いだから。

3 もう一度やって。お願いだから。

4 私を手伝ってよ。お願いだから。

ここが大切！

「Pleaseを強く言うからていねい」でもない

●~，please. と話すときにpleaseを強く言うことは基本的にありません。前のお願いごとに続いて切れ目なしで言うことが多く、アクセントは動詞と副詞におきます。

例 Stay home, please.
（強くよむ）（もっと強く読む）

●~．Please. のようにPleaseを単独で話すときは、Pleaseをいちばん強く言います。これは「お願いだから、いいでしょう」というイラ立ちや押しつけをあらわしていて、ていねいな言い方ではありません。

例 Stay home. Please.
（強くよむ）

私にこの車を買ってよ。　お願いだから、いいでしょう。

Buy me this car.　Please.

私を車で家まで送ってよ。お願いだから、いいでしょう。

Drive me home.　Please.

track 08

1 Stay home. Please.

2 Study hard. Please.

3 Try again. Please.

4 Help me. Please.

練習問題

次の日本語を英語で言ってみましょう。

（1）中に入ってよ。お願いだから。　（話している人は部屋の中）

（2）私にこの自転車を買ってよ。お願いだから、いいでしょ。

（3）直美さんを家まで車で送ってあげてよ。お願いだから、いいでしょ。

（1）Come in. Please.

（2）Buy me this bike. Please.

（3）Drive Naomi home. Please.

（1）家の中にいる人が「中に入ってよ。」と言うときは、Come in.
　　戸の外に2人いて、「中に入ってよ。」と言うときは、Go in.

（2）買ってよ　（だれに）私に　（なにを）この自転車
　　Buy　me　this bike.

（3）車で送ってあげてよ　（だれを）直美さん　（どこに）家に
　　Drive　Naomi　home.

09 Don't ＋動詞～ , please. で「～しないでくださいよ。」と伝える

Don't ＋　動詞～ , please. で、
相手にしてほしくないと伝えることができます。

下のフレーズを、英語で話してみましょう！

1 笑わないでくださいよ。

2 ここでたばこをすわないでくださいよ。

3 ここに駐車(ちゅうしゃ)しないでくださいよ。

4 心配しないでくださいよ。

文のつくり方を覚えましょう

● Don't〔ドーゥンッ〕のあとに、相手にしてほしくない**動詞**の原形（辞書などにのっている基本のかたち）を使って話します。

● don'tも pleaseも副詞のはたらきのことばです。

（1）しないで　　笑う
　　Don't　　laugh, please.

（2）しないで　何をする　たばこをすう　どこで　ここで
　　Don't　　smoke　　here, please.

ここが大切！

●「～しないでください。」と言いたいのに、動詞がないことに気づいたときは、be＋単語を使って英語にしてください。

例 あなたはやかましい。 You are noisy.
　→やかましくしないでくださいよ。 Don't be noisy, please.

Don't の次にはいつも原形がくるので、are の原形のbeを使います。

ここで使う単語

笑う laugh 〔レアフッ〕
たばこをすう smoke 〔スモーゥクッ〕
ここで here 〔ヒアァ〕
駐車する park 〔パークッ〕
心配する worry 〔ワ～ゥリィ〕
乗りおくれる miss 〔ミスッ〕
多すぎる too much 〔チュー マッチッ〕
おどろく be surprised 〔ビー サプゥラーィズドゥッ〕

1日目

track 09

1 Don't laugh, please.

2 Don't smoke here, please.

3 Don't park here, please.

4 Don't worry, please.

練習問題

次の日本語を英語で言ってみましょう。

（1）そのバスに乗りおくれないでくださいよ。
（2）心配しすぎないでくださいよ。
（3）おどろかないでくださいよ。

（1）Don't miss the bus, please.
（2）Don't worry too much, please.
（3）Don't be surprised, please.

（1）最終バスと言いたいときは、the last bus
（2）worry〔ワ～ゥリィ〕心配する
（3）I'm not surprised. で、「私はおどろきませんよ。」という意味なので、Don't のうしろに、am、are、is の原形の be がきます。

10 「そのペン」がほしいと指定する

たくさん同じものがある中で「特定のもの」を示したいときには the、
「どれでもいいから 1 つ」と言いたいならば a を使って
ものを正しく伝えることができます。

下のフレーズを、英語で話してみましょう！

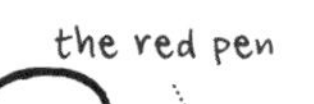

1 どうぞ、その赤いペンを手に取ってください。

2 どうぞ、どれでもいいので 1 本、
ペンを手に取ってください。

3 どうぞ、どれでもいいので 2 本、
ペンを手に取ってください。

4 どうぞ、あなたのかさを手に取ってください。

ここが大切！

名詞の前に a か the をつけるルールを覚えましょう。

●たくさんのものがある中で

「話し手と相手の両方が1つのものをさしているのがわかっている」
→the 名詞
例 Please open the window. 「そのまどをあけてください」

「どれでもいいから」
- 1つ **→a 名詞**
- 2つ **→two 名詞s**

を使います。aとtheは同時につけることはできません。

「私の」my、「あなた（たち）の」your、「私たちの」our、「彼らの」theirなどと限定するときは、aやtheは必要ありません。

発音のコツ

名詞の前につけるaやtheは、基本的に弱く言います。

Please take the red pen.

 ● ←アクセントをおく場所

形容詞＋名詞となっているときは名詞の方をより強く言います。

track 10

1 Please take the red pen.

2 Please take a pen.

3 Please take two pens.

4 Please take your umbrella.

練習問題

次の日本語を英語で言ってみましょう。

（1）どうぞ、どれでもいいからリンゴを1つ（手に）取ってください。

（2）どうぞ、そのリンゴを（手に）取ってください。

（3）どうぞ、どれでもいいからリンゴを5つ（手に）取ってください。

（1）Please take an apple.

（2）Please take the apple.

（3）Please take five apples.

appleは母音〔ア・イ・ウ・エ・オ〕からはじまるので
（1）an apple 〔アネェアポー〕になります。
また、（2）the appleのtheの発音が〔ざ〕ではなく〔ずィ〕になります。

11 「水を１ぱい」「コーヒーを２つ」頼む

数えられない名詞を数えるときは、容器に入れて容器の数を数えます。冷たい飲み物はglass、あたたかい飲み物はcupに入れましょう。

下のフレーズを、英語で話してみましょう！

1 水を１ぱいください。

2 コーヒーを１つください。

two cups

3 コーヒーを２つください。

4 コーヒーを２つください。

two coffeesを使って

ここが大切！

英語には「数えられる名詞」と「数えられない名詞」があります。

数えられる名詞:目で見て指で数えることができる

例 pen, book, desk, star, boy, car, ball, cup, student

数えられない名詞:目に見えなくて指で数えることができない

例 money（お金）, homework（宿題）, happiness（幸せ）, love（愛）

ここをまちがえる！

水やコーヒーなどは、日本語と少しちがうとらえ方をする「数えられない名詞」です。glass、cupなどの**容器に入れて数えましょう**。

例 a glass of water　「1ぱいの水」←冷たい飲み物はglassに入れる

例 a cup of coffee　「1ぱいのコーヒー」←あたたかい飲み物はcupに入れる

ただし、話しことばではcoffeeを数えられる名詞として使うこともあるので、2はいのコーヒーをtwo coffeesと言うこともできます。

まちがいやすい「数えられない名詞」はほかにもあります。

ごはん　a bowl of rice「お茶わん1ぱいのごはん」

紙　a piece of paper　「１枚の紙」

パン　a loaf of bread「１個のパン」　loaf〔ローゥフッ〕

a slice of bread「１枚のパン」　slice〔スラーィスッ〕

track 11

1 A glass of water, please.

2 A cup of coffee, please.

3 Two cups of coffee, please.

4 Two coffees, please.

練習問題

次の日本語を英語で言ってみましょう。

（1）ミルクを1ぱいください。　　ミルク: milk〔ミオクッ〕

（2）紅茶を1ぱいください。　　紅茶: tea〔ティー〕

（3）紅茶を2はいください。

（1）A glass of milk, please.

（2）A cup of tea, please.

（3）Two cups of tea, please.

ミルクは冷たいものを飲むのがアメリカではふつうなので、glassを使います。

two pieces of paper：紙の大きさに関係なく２枚の紙

two sheets of paper：同じ大きさの紙２枚

2日目

基本の文と言いかえ

12 主語 + 動詞 . で「だれが、どうする。」を伝える

英語では基本的に主語＋動詞の順に話します。
主語がIや you 以外で 1 人（1 つ）だったら、動詞の最後に s または es をつけて話します。

下のフレーズを、英語で話してみましょう！

1 私の父ははたらく。

2 私は勉強する。

3 鳥はさえずる。

4 赤ちゃんは泣くもんですよ。

ここが大切！ **主語は何か（何人・いくつか）を考えるくせをつけましょう**

●日本語では「帰りますよ。」「どこへ行こうか。」のように主語を言わないことがよくありますが、英語では**主語**をはっきりさせて話します。
●主語に合わせて動詞のかたちが決まるので、自分が言いたいのは1人（1つ）か2人（2つ）以上かも考えましょう。

（1）私の父は　どうする　はたらく
My father　works.
主語 IとYou以外で1人 → 動詞 の最後にsをつける

（3）鳥は　さえずる
Birds　どうする　sing.
主語 ここでは鳥たちの意味なので複数 → 動詞 はそのまま

2つ以上の「数えられる名詞」は最後にSをつけて言いましょう

ここをまちがえる！

主語がIやyouのときと2つ以上の何か（だれか）のときは、**原形**（そのままの動詞）で話します。
主語がIやyou以外で1人（もしくは1つ）ならば、**動詞の最後にsを**つけます。話すときには忘れやすいので気をつけましょう。

track 12

1 My father works.

2 I study.

3 Birds sing.

4 Babies cry.

練習問題

次の日本語を英語で言ってみましょう。

（1）私は賛成です。
（2）私たちはおしゃべりですよ。
（3）時代は変化するものですよ。

賛成する: agree〔アグゥリー〕
おしゃべりをする: talk〔トークッ〕
時代: times〔ターィムズッ〕
変化する: change〔チェーィンヂッ〕

（1）I agree.
（2）We talk.
（3）Times change.

（2）（3）の英文の主語の次にwillを入れると習慣（しゅうかん）や傾向（けいこう）を強調した言い方になります。

例 世間はうるさいですからね。 People will talk.

ただし自然の法則でくり返されているものに関して、willは使えません。

例 太陽は東からのぼって、西にしずみます。
The sun rises in the east and sets in the west.

13 主語＋動詞に副詞を追加(ついか)して、「どのように～するか」を伝える

主語＋動詞．だけで意味を伝えられますが、
副詞のおまけをつけると「どのように」するのかを
くわしく伝えられます。

下のフレーズを、英語で話してみましょう！

1 トニーは大きなことを言う。

2 この薬はよく効(き)くよ。

3 私はときどき勉強します。

4 今、わかったよ。

文のつくり方を覚えましょう

副詞はおまけのはたらきなので、主語＋動詞だけでも意味が通じます。

●副詞は、**文頭**、**動詞の前**、**動詞のうしろ**におくことができます。

（1）トニーは（どうする）言う（どのように）大きく
Tony　talks　big.
主語　動詞　副詞

（2）この薬は（どうなる）効(き)く（どのように）よく
This medicine　works　well.
主語　動詞　副詞

（3）私は　ときどき（どうする）勉強する
I　sometimes　study.
主語　副詞　動詞

（4）今　私は（どうする）理解する
Now　I　understand.
副詞　主語　動詞

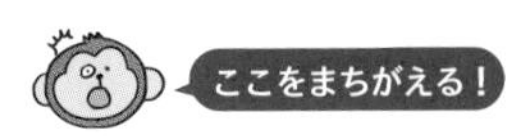

「今、わかった。」のように**今**のことを言いたいときは、動詞の**現在形**（そのままの形）を使います。 ★現在形についてくわしくはP.114など

もし、「私はすでにわかっていました。」と、今よりも前のことを伝えたかったら、I understood.〔アーィ アンダァストゥッドゥッ〕のように言います（**過去形**）。 ★過去形についてくわしくはP.118、P.120

track 13

1 Tony talks big.

2 This medicine works well.

3 I sometimes study.

4 Now I understand.

練習問題

次の日本語を英語で言ってみましょう。

（1）私はもう少しで忘れるところでした。

（2）今、思い出しましたよ。

（3）私はめったに勉強しません。

（1）I almost forgot.

（2）Now I remember.

（3）I rarely study.

（1）（3）の例のように、動詞の前に副詞をおくことが多いのです。
特に、頻度(ひんど)をあらわす副詞は動詞の前におきます。

ここが大切！

①いつも always〔オーウェーィズッ〕 ②ふつうは usually〔ユージュアリィ〕 ③しばしば often〔オーフンヌ〕 ④ときどき sometimes〔サムタ-ィムズッ〕⑤めったに～ない rarely〔ゥレアリィ〕⑥決して～ない never〔ネヴァ〕の順番で、頻度(ひんど)が低くなります。

14 動詞が見当たらなかったら be 動詞をもってくる

話したい文の終わりが日本語のウ段で終わる動詞でなかったら、be 動詞を使いましょう。その後に主語を説明する形容詞を使って話します。

下のフレーズを、英語で話してみましょう！

1 私はいそがしい。

2 私は勉強しているところです。

3 この時計は日本でつくられました。

4 私はネコを１ぴきかっています。

動詞や〜い

Be

ここが大切！ ウ段で終わることばがあるか考えよう

●日本文の中に動詞があるかないかを見破(みやぶ)る方法は、「勉強する」「泳ぐ」「歌う」のようにウ段で終わることばがあるかどうかを調べることです。もしなければ、**be 動詞**を使います。

●主語がIならbe動詞はamで、主語がyouや2つ以上の人／物ならare と決まっています。それ以外が主語のときはisなので、名詞が何か、いくつかを考えて言いましょう。

その後で主語の名詞を説明したり状態をあらわしたりします（**形容詞**）。

●（1）～（3）は名詞を説明する、形容詞のはたらきをしているので、be動詞が必要です。

（1）（いそがしい）私→am　（2）（勉強している）私→am

（3）（日本でつくられた）この時計→is　過去形のwas

（4）は「かっている」のようにウ段で終わっているので、動詞です。

「幸せです」はウ段で終わるけどbe動詞が必要！

たとえば「私は幸せです。」はウ段で終わっていますが、言いかえると「私は幸せな状態にあります。」なので、幸せなという意味のhappyを使います。
同じように「勉強しています」も「勉強している状態にあります」という「状態」をあらわしています。

track 14

1 I am busy.

2 I am studying.

3 This watch was made in Japan.

4 I have a cat.

練習問題

次の日本語を英語で言ってみましょう。

（1）私は幸せです。
（2）私は宿題をしています。
　　宿題をしている: doing my homework〔ドゥーイン・マーィ ホーゥムワ〜クッ〕
（3）私は英語を話します。

（1）I am happy.
（2）I am doing my homework.
（3）I speak English.

（1）は、（幸せな）私　（2）は（宿題をしている）私　のように考えることができるので、be動詞が必要です。
（3）は、話すというウ段で終わっているので、動詞です。

2日目

15 主語＋動詞．は主語＋ be 動詞＋ a ～ er で言いかえられる

動詞を be 動詞＋ a＋ 動詞 er で同じ意味をあらわすことができます。
-er を動詞につけると「～する人」の意味になります。

下のフレーズを、英語で話してみましょう！

1 トニーは教えています。

2 トニーは先生です。

3 トニーは上手に教えます。

4 トニーはよい先生です。

文のつくり方を覚えましょう

（1）トニーは　どうしている　教えている
Tony teaches.

（2）トニー　ですよ　何なの　先生
Tony is a teacher.

（3）トニーは　どうしている　教えている　どのように　上手に
Tony teaches well.

（4）トニー　ですよ　教えるのが上手な人
Tony is a good teacher.

日本語にはない名詞の前のaをつけ忘れないようにしましょう

これだけは覚えましょう

good（上手な）を well（上手に）を使って言いかえることができます。

ここが大切！

主語が1人の場合、be動詞はis, 動詞にはs または es をつけます。

例 Tony is ～.　Tony teaches.

ふつう、動詞の最後にs をつけるだけでよいのですが、〔チッ〕、〔シッ〕の音で終わっているときはesをつけます。例 teach〔ティーチッ〕→teaches〔ティーチッズッ〕　wash〔ワッシッ〕→washes〔ワッシッズッ〕

track 15

1 Tony teaches.

2 Tony is a teacher.

3 Tony teaches well.

4 Tony is a good teacher.

練習問題

次の日本語を２種類の英語で言ってみましょう。

〔1〕あの音楽の先生は上手に歌います。

(a)

(b)

〔2〕あの少年は速（はや）く泳ぐ。

(a)

(b)

〔1〕(a)That music teacher sings well.

(b)That music teacher is a good singer.

〔2〕(a)That boy swims fast.

(b)That boy is a fast swimmer.

（2）fastには「速く」と「速い」という意味があるので、swims fastをis a fast swimmer と言いかえられます。　(b)That boy is a fast swimmer.

2日目

16 主語＋動詞＋名詞．は 主語＋be動詞＋a ～er of 名詞 で言いかえられる

teach English を a teacher of English に言いかえても同じ意味になります。
ただし、よく使われるのは an English teacher です。

下のフレーズを、英語で話してみましょう！

1 私は英語を教えています。

2 私は英語の教師です。

3 私は英語の教師です。

4 私はイギリス人の教師です。

文のつくり方を覚えましょう

I am a teacher. だけでは何の先生かわからないため English を使って「英語の教師である」ことを伝えたいので English を強く言うのです。

(2) 私ですよ　教師　（何の）　英語
I am a teacher of English.

(3) 私ですよ　（何なの）　英語の　教師
I am an English teacher.
英語（名詞）

(4) 私ですよ　（何なの）　イギリス人の　教師
I am an English teacher.
イギリス人の（形容詞）

(3)(4) は同じ英文なので、字を読むだけではどちらの意味かわかりません。でも、話すときには「**伝えたいことを強く言う**」ことで相手に言いたいことを正しく伝えることができます。

これだけは覚えましょう

英語の発音の仕方に2つのパターンがあります。

名詞+名詞は、´ ` パターン

形容詞+名詞は、` ´ パターン

英語では、アクセント記号があり、´ を第1アクセント、` を第2アクセントと言います。第1アクセントの方（´）を強く発音します。

英語の教師　Énglish tèacher　（長沢式では「ハ」のパターン）
イギリス人の教師　Ènglish téacher（長沢式では「ソ」のパターン）

track 16

1 I teach English.

2 I am a teacher of English.

3 I am an English teacher.

4 I am an English teacher.

2日目

練習問題

次の日本語を英語で言ってみましょう。

（1）私は音楽を教えています。

（2）私は音楽の教師です。

（3）私は音楽の教師です。

（1）I teach music.

（2）I am a teacher of music.

（3）I am a music teacher.

（3）の表現がよく使われます。
music（音楽）+teacher(教師) が名詞+名詞のパターンなので、music を強く発音します。
その理由は、教師といっても、何の教師かがわからないので、音楽をはっきり発音するのです。

17 watch TV するのは a TV-watcher

名詞を２つ並べる言い方を学びましょう。
名詞と名詞をつなぐハイフン（-）は話すときに読みませんが
１つ目の名詞を２つ目の名詞よりも強く言います。

下のフレーズを、英語で話してみましょう！ 

1 私はテレビを見ます。

watch TV

2 私はテレビを見る人です。

a TV-watcher

3 私は鳥を観察（かんさつ）しています。

4 私はバードウオッチングをしている人間なんですよ。

文のつくり方を覚えましょう

動詞＋名詞をbe動詞＋a＋～erにすることで同じ意味をあらわせるので、watch TVをbe動詞＋a TV-watcherのように言いかえられます。

（３）私は　観察しています　（何を）　鳥
I　watch　birds.

（４）私ですよ　（どんな人）　バードウオッチングをしている人間
I am　a bird-watcher.
名詞と名詞をハイフン（-）でつないでいる

ここをまちがえる！

名詞を２つならべるときの１つ目の名詞は２つ目の名詞の説明に使うので形容詞あつかいとなり、名詞にsをつけずに単数で言います。

	×	○
	birds-watcher	bird-watcher
ピーナツバター	peanuts butter	peanut butter
くつ屋	shoes store	shoe store

ここが大切！

名詞をハイフンでつなぐ形容詞は、いつも単数の形をとります。

例 トニーは10才です/10才の少年です。

Tony is ten years old.

Tony is a ten-year-old boy.

track 17

1 I watch TV.

2 I am a TV-watcher.

3 I watch birds.

4 I am a bird-watcher.

練習問題

次の日本語を英語で言ってみましょう。

（1）私は私の体重（の変化）に注意しています。 体重: weight 〔ウエーィトウッ〕

（2）私は体重が増えないように注意している人間です。

（3）私は中国（の変化）を見守っています。

（4）私は中国の変化を見守っている人間です。

（1）I watch my weight.

（2）I am a weight watcher.

（3）I watch China.

（4）I am a China watcher.

（1）のwatch は、注意する （3）のwatch は、見守っている

これだけは覚えましょう

a China watcher ＝中国問題専門家

18 I am a + 名詞 +person. で「私は～型人間です。」

a +名詞+ person でも、「～が好きな人」をあらわすことができます。

下のフレーズを、英語で話してみましょう！

1 私は夜型人間です。

2 私は都市型人間です。

a city person

3 私はコーヒー党です。

a coffee person

4 私はネコ派です。

ここが大切！

「～が好きな人」のことを、「～型人間」「～党」「～派」ということがあります。このようなときに、**a +名詞+ person** を使ってください。

ネコ派 a cat person ＝I like cats.
イヌ派 a dog person ＝I like dogs.
ワイン党 a wine person ＝ I like wine.

朝型人間　an early bird〔アナ～ゥリィ バ～ドゥッ〕
夜型人間　a night owl〔ア ナーィターゥオ〕

an early bird は、早起きする鳥の意味から「朝起きるのが早い人」、そしてa night owl は、ふくろう（owl）が夜に（at night）狩（か）りをすることから、「夜に活動する人」という意味です。

track 18

2日目

1 I am a night person.

2 I am a city person.

3 I am a coffee person.

4 I am a cat person.

練習問題

次の日本語を英語で言ってみましょう。

（1）私は朝型人間です。
（2）私は紅茶党です。
（3）私はイヌ派です。

（1）I am a morning person.
（2）I am a tea person.
（3）I am a dog person.

(1)(2)(3)　a とperson の間に名詞を入れれば、～が好きな人をあらわすことができます。

19 person が集まると people になる

a person(1人)の複数形が people (人々)だと考えることができます。
1人のときの a ○○ person という表現は、
2人以上だと○○ persons や○○ people という言い方にできます。

下のフレーズを、英語で話してみましょう！

1 彼はコーヒー党です。

2 彼らはコーヒー党です。

3 このテーブルには4人すわれます。

4 この車には4人乗れます。

ここが大切！

●a person が集まると人々(びと)＝persons や people になりますが、話しことばでは、persons よりも people を使うのがふつうです。

(1) 彼ですよ (何なの) コーヒー党
He is a coffee person.

(2) 彼らですよ (何なの) コーヒー党
They are coffee people.

(3) このテーブルには すわれる (何人) 4人
This table sits four persons.

(4) この車には すわれる (何人) 4人
This car sits four people.

sit は人が主語で「すわる」という意味で使うことが多いですが物が主語だと「すわれる」の意味になります

ここをまちがえる！

		私			あなた	
1人	I	my	me	you	your	you
2人以上	we	our	us	you	your	you
1人	she	her	her	he	his	him
2人以上	they	their	them	they	their	them
		彼女			彼	

track 19

1 He is a coffee person.

2 They are coffee people.

3 This table sits four persons.

4 This car sits four people.

練習問題

次の日本語を英語で言ってみましょう。

（1）私はビジネスパースンです。

ビジネスパースン（実業家）: businessperson〔ビズッネスッ パ〜スンヌ〕

（2）私たちはビジネスパースンです。

ビジネスパースン（実業家）: businesspeople〔ビズッネスッ ピーポー〕

（3）私はセールスパースンです。

セールスパースン（販売員）: salesperson〔セーィオズパ〜スンヌ〕

A

（1）I am a businessperson.

（2）We are businesspeople.

（3）I am a salesperson.

（1）は1人のことなので、a businessperson、（2）は複数の人のことなので、businesspeople、（3）は1人のことなので、a salesperson

20 形容詞の使い方には２つのパターンがある

主語＋ be 動詞＋形容詞．のパターンでしか使えない形容詞があります。主語＋ be 動詞＋形容詞．のパターンと a ＋形容詞＋名詞のパターンのどちらでも使える形容詞があります。

下のフレーズを、英語で話してみましょう！

1 この魚は生きている。

2 この魚は生きている。

3 これは生きている魚です。

4 これは生きている魚です。

文のつくり方を覚えましょう

（1）この魚ですよ　どんな状態なの　生きている。

This fish is　living.

主語　be動詞　形容詞

（2）この魚ですよ　どんな状態なの　生きている。

This fish is　alive.

主語　be動詞　形容詞

（3）これですよ　何なの　ある生きている魚

This is　a living fish.

a 形容詞　名詞

（4）これですよ 

ある生きている魚

This is

a 形容詞 名詞

これだけは覚えましょう

a から始まっている形容詞は、「主語＋be動詞＋形容詞.」のパターン以外では使えません。

例 この魚は生きています。　This fish is alive.
私はイヌがこわい。　I am afraid of dogs.
～に関してこわい　afraid of〔アフゥレーィダヴッ〕

track 20

1 This fish is living.

2 This fish is alive.

3 This is a living fish.

4 This is a live fish.

2日目

練習問題

次の日本語を英語で言ってみましょう。

（1）私はイヌがこわい。　こわい: afraid〔アフゥレーィドゥッ〕

（2）このイヌはまだ生きています。
まだ生きている: still alive〔スティララーィヴッ〕

（3）この魚はまだ生きています。

（1）I am afraid of dogs.
（2）This dog is still alive.
（3）This fish is still living.

（1）はaから始まっているので、be動詞＋afraid
（2）と（3）のstill（まだ）は、notが入る位置におきます。

発音 still alive〔スティララーィヴッ〕 still living〔スティオ リヴィン・〕

21 well と good の言いかえ

動詞 +well（上手に＝副詞）は
be a good(上手な＝形容詞)～er､be good at～ing（～が得意です）
を使って言いかえることができます。

下のフレーズを、英語で話してみましょう！

1 トニーは上手(じょうず)に歌う。

2 トニーは歌うのが上手な人です。

3 トニーは歌うのが得意(とくい)です。

4 トニーは歌うのが苦手(にがて)ではありません。

文のつくり方を覚えましょう

（1）トニーは歌う　どのように　上手に
Tony sings　well.　副詞

（2）トニーですよ　どんな人　歌を上手に歌う人
Tony is　a good singer.　形容詞

（3）トニーですよ　得意な　どんな点で　歌うこと
Tony is　good　at　singing.　形容詞

（4）トニーですよ　どんな人　苦手ではない　どんな点で　歌うこと
Tony is　not bad　at　singing.　形容詞

ここが大切！

goodは､「上手な」のほかに「得意な」という意味があります。
atは､「～の点で」という意味をあらわします。
atのような**前置詞**の次には、動詞のing 形をおきます。
前置詞とは、名詞の前におくことばなので､atの次には名詞のはたらきをする、動詞のing形をおく必要があるのです。

a good singer
(a) 上手な歌い手
(b) 歌うのが上手な人
(c) 上手な歌手

このような意味で覚えておいてください。

track 21

1 Tony sings well.

2 Tony is a good singer.

3 Tony is good at singing.

4 Tony is not bad at singing.

練習問題

次の日本語を英語で言ってみましょう。
（1）私は泳ぐのが得意です。
（2）私は上手に泳ぎます。
（3）私は上手な泳ぎ手です。

（1）I am good at swimming.
（2）I swim well.
（3）I am a good swimmer.

(1) be good at (〜が得意です)
(2) swim well (上手に泳ぐ)
(3) a good swimmer (どこにでもいる上手な泳ぎ手)

22 形容詞の使い方は、ひとつひとつていねいに覚える

**形容詞の使い方を知りたいときは
英和辞典にのっている例文と注意する点を
よく読んでから使うとよいでしょう。**

下のフレーズを、英語で話してみましょう！

1 私はねむい。

2 トニーはねていますよ。

3 トニーはねています。

4 トニーはねてしまった。

sleeping
|
asleep - sleep - sleepy

● sleepという動詞から関係する形容詞がいくつも生まれています。

ねむい　sleepy〔スリーピィ〕ねむっている　asleep〔アスリープッ〕· sleeping〔スリーピン・〕　ねむってしまった　fell asleep〔フェラスリープッ〕

動詞から生まれる形容詞たちも、まとめて覚えて使っていきましょう。

想像する　imagine〔イメァヂンヌ〕

→ an imaginary animal　〔ァニメァヂネゥリィ エァニマオ〕想像上の動物

Tony is imaginative.〔イメァヂナティヴッ〕トニーは想像力が豊かです。

これだけは覚えましょう

ねむりに落ちるという日本語がありますが、英語でもfall asleepという、言い方があります。このfall（落ちる）という動詞は、(なる）という意味で使われています。

例 ねむっている状態になる　＝なる fall　（どんな状態）　ねむっている asleep

落ちる　fall〔フォーオ〕　落ちた　fell〔フェオ〕

「ああ、足がしびれちゃった。」
Oh,my legs have gone to sleep.

go to sleepで（手足などが）しびれるという意味です。
～しちゃったをあらわしたいときは、**have＋過去分詞形**を使います。

track 22

1 I am sleepy.

2 Tony is asleep.

3 Tony is sleeping.

4 Tony fell asleep.

練習問題

次の日本語を英語で言ってみましょう。
（1）あなたはねむいのですか。
（2）私の足はしびれています。
（3）あのねむっているイヌはポチです。

（1）Are you sleepy?
（2）My legs are asleep.
（3）That sleeping dog is Pochi.

（2）asleepには、「ねむっている」と「（手足などが）しびれて」の２つの意味があります。
（3）「ねむっているイヌ」のように、形容詞＋名詞のパターンになっているので、asleepを使うことができません。よって、sleepingが答えになります。

23 主語を変えて いろんな表現をしてみよう

何を主語にするかによって、いろいろな表現のしかたがあります。同じ意味をあらわす英語を理解してから覚えるとよいでしょう。

下のフレーズを、英語で話してみましょう！

1 この部屋は寒い。

2 この部屋の中は寒いですよ。

3 私はこの部屋の中にいると寒いのです。

4 私はこの部屋の中にいると寒く感じるのです。

This room is...
It's cold ...
I am ...
I feel ..

ここが大切！

●「　　が～」と言いたいとき、次の4種類の英語であらわせます。

（1）　　　is ～.　　（2）It is ～ in 　　　.

（3）I am ～ in 　　　.　　（4）I feel ～ in 　　　.

文のつくり方を覚えましょう

（1）この部屋ですよ　（どんな状態に）　寒い

This room is　cold.

（2）寒いですよ　（どこの中が）　この部屋

It is cold　in　this room.

（3）私ですよ　（どんな状態）　寒い　（どこの中にいると）　この部屋

I am　cold　in　this room.

（4）私は感じています　（どのように）　寒い　（どこの中にいると）　この部屋

I feel　cold　in　this room.

天候の話は It is～を よく使います

「寒い」のは次の3つの場合のどれだと伝えるとよいのか、じっくり考えると、選ぶべき表現が見えてきます。

（1）温度が低く寒い。（他の人もみんな寒いだろう） It's cold.

（2）（他の人はわからないが）私は寒い。 I am cold.

（3）（他の人はわからないが）私だけは寒く感じているみたい。I feel cold.

track 23

1 This room is cold.

2 It's cold in this room.

3 I am cold in this room.

4 I feel cold in this room.

2日目

練習問題

次の日本語を英語で言ってみましょう。

（1）この部屋は暑すぎます。 ～しすぎる：too〔チュー〕

（2）この部屋の中は暑すぎます。

（3）私はこの部屋の中にいると暑く感じます。

（1）This room is too hot.

（2）It's too hot in this room.

（3）I feel hot in this room.

（1）（2）「～しすぎる」と言いたいときは too＋形容詞を使います。

英米人は、体や手足が冷たいときや寒いときには、I'm cold. と言うのが一般的です。

3日目

質問する・否定する

24 1秒で否定文・疑問文の話す順番を決める①

notを入れる位置がわかれば、
すぐに否定文と疑問文のつくり方がわかります。

下のフレーズを、英語で話してみましょう！

1 トニーは背が高い。

2 トニーは背が高くない。

3 トニーは背が高いですか。

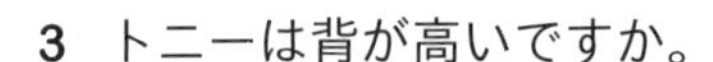

4 トニーは背が高くないのですか。

ここが大切！

英語では、日本語よりも語順（話す順番）が大事です。

●否定したいとき、**notを入れるのは「否定したい」ことばの前**。

Tony is tall.（トニーは背が高い。）

（ア）Tony is（トニー　です）
（イ）Tony tall（トニー　背が高い）

（ア）（イ）どちらを否定したいかと考えて、この場合は、（イ）を否定したいので、tallの前にnotを入れます。

Tony is not tall.　否定文

●疑問に思うときは、助動詞＋主語の順番。

この場合は、主語（Tony）の次のisが助動詞のはたらきをしています。

Is　Tony　tall?　疑問文
助動詞　主語

●否定疑問文では、否定文で**助動詞のはたらきをしている部分を最初に**もってきます。

Tony isn't tall. （トニーは背が高くない。）
助動詞

Isn't Tony tall? （トニーは背が高くないですか。） 否定疑問文

ただし、Is Tony not tall?とすることもできます。

track 24

1 Tony is tall.

2 Tony isn't〔is not〕tall.

3 Is Tony tall?

4 Isn't Tony tall?

練習問題

次の日本語を英語で言ってみましょう。

（1）あのビルは古い。 ビル: building〔ビオディン・〕

（2）あのビルは古くない。

（3）あのビルは古くないですか。

（1）That building is old.

（2）That building isn't〔is not〕old.

（3）Isn't that building old?

日本語のビルとbuildingは、少し意味がちがいます。
buildingは単に「建物（たてもの）」をあらわし、大きさや建物の材料に関係がないので、鉄筋（てっきん）コンクリートのビルでも木造（もくぞう）の一戸建（いっこだ）てでもbuildingと言います。

25 1秒で否定文・疑問文の話す順番を決める②

まず、notが入る位置をさがしましょう。
主語の次に助動詞のはたらきをする単語がなければ、doまたはdoesを入れてnotが入ると否定文ができます。

下のフレーズを、英語で話してみましょう！

1 直美さんは英語を話します。

2 直美さんは英語を話しません。

3 直美さんは英語を話しますか。

4 直美さんは英語を話しませんか。

ここが大切！

●否定したいとき、**notを入れるのは「否定したい」ことばの前**。

Naomi speaks English.

（ア）Naomi speaks （直美さんは話す）
（イ）Naomi English （直美さんは英語）

①（ア）（イ）どちらを否定したいかと考えて、この場合は（ア）を否定したいので、speaksの前にnotを入れます。

Naomi not speaks English.

②**主語とnotの間に助動詞がない**とき、主語が1人の場合はdoes、2人以上の場合は、doを入れます。例外的(れいがいてき)にYouとIは、doを使います。

Naomi does not speak English. 否定文

doesを入れるので、speaksのsはとります。

●**疑問に思うときは、助動詞＋主語**にすることで疑問文になります。助動詞がなければdoやdoesを入れます。

Does Naomi speak English? 疑問文

●否定疑問文では、否定文で**助動詞のはたらきをしている部分を最初に**もってきます。

Naomi does not speak English.（直美さんは英語を話しません。）

↓

Naomi doesn't speak English.

☞ Doesn't Naomi speak English?（直美さんは英語を話しませんか。）

否定疑問文

track 25

1 Naomi speaks English.

2 Naomi doesn't〔does not〕speak English.

3 Does Naomi speak English?

4 Doesn't Naomi speak English?

練習問題

次の日本語を英語で言ってみましょう。

（1）あなたは、テニスをします。 テニスをする: play tennis〔プレーィ テニスッ〕

（2）あなたはテニスをしません。 〔助動詞のdoを使う〕

（3）あなたはテニスをしますか。

（1）You play tennis.

（2）You don't〔do not〕play tennis.

（3）Do you play tennis?

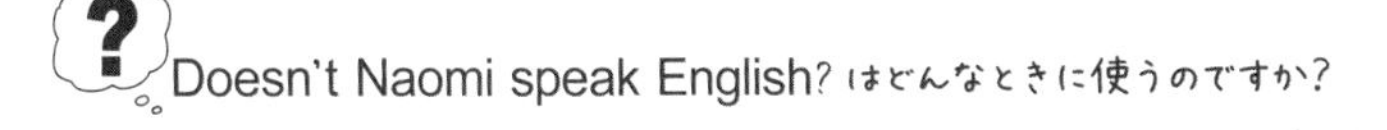

「（てっきり英語を話すと思っていたのに）直美さんは英語を話さないのですか。」というように使います。

26 だれが？何を？と疑問を伝える

会話しているとき、Yes, No で答えられる質問ばかりでなく「だれが？」「何を？」とたずねてみると、きゅうくつな感じがなくなり、会話がはずみます。

下のフレーズを、英語で話してみましょう！

1 あなたはだれが好きですか。

2 あなたはいくらお金がほしいのですか。

3 だれがここに住んでいるのですか。

4 何がこの箱（はこ）の中に入っていますか。

ここが大切！ **疑問詞はいつも最初におく**

●Yes, Noで答えることができない疑問文を英語に直すときは、次の2パターンがあります。

❶〔が〕の代わりに〔を〕を使えるパターン

疑問詞＋疑問文 ？

（1）あなたはだれが〔を〕好きですか。
Who do you like?
疑問詞　疑問文　？

（2）あなたはいくらお金が〔を〕ほしいのですか。
How much money do you want?
〔ハーゥ マッチッ マニィ〕　〔ワントゥッ〕

これだけは覚えましょう

疑問代名詞: what･何〔ワッ･〕　who･だれ〔フー〕　which･どちら〔ウィッチッ〕
たずねたいことが「人」や「もの」など名詞のときに使います。

❷〔が〕の部分が主語になっているパターン

☞ 疑問詞＋動詞～？

（3）だれがここに住んでいますか。
Who lives here?

（4）何がこの箱の中に入っていますか。
What is in this box?

このパターンのとき主語の後にdoやdoesを入れると意味が通じません

track 26

1 Who do you like?

2 How much money do you want?

3 Who lives here?

4 What's〔is〕in this box?

練習問題

次の日本語を英語で言ってみましょう。

（1）あなたは何色が好きですか。　何色: what color〔ワッ・カラァ〕

（2）何があなたをここへ連れてきたのですか。　（なぜあなたはここに来たのですか。）
～を連れてきた: brought〔ブゥロートゥッ〕

（3）あなたはお米をいくら買いましたか。

（1）What color do you like?
（2）What brought you here?
（3）How much rice did you buy?

（2）「なぜあなたはここに来たのですか。」を
Why are you here?（なぜあなたはここにいるのですか。」
Why did you come here?（なぜあなたはここに来たのですか。」
などと言うと、警察などが質問しているように聞こえるので避けたほうが良いのです。

27 いつ？どうして？とたずねる

相手の話に興味をもって「どうしてそう思う？」「へ～、どこで？」「どうやってするの？」などと掘(ほ)り下げて聞いてあげると会話がふくらみます。

下のフレーズを、英語で話してみましょう！

1 どこにあなたは住んでいますか。

2 なぜあなたは夏が好きなのですか。

3 どのようにしてあなたはこの魚を食べるのですか。

4 いつあなたはねるのですか。

ここが大切！ **いつ、どこで、なぜ、どのようにして、…を聞く**

●Yes, Noで答えることができない疑問文であるということがわかったとき、**疑問詞＋疑問文？**であらわすことができます。

●ここで使う疑問詞は、副詞のはたらきをしています。
副詞＝前置詞＋名詞と覚えてください。
たとえばwhere（どこに）は、in what city（何市に）と言いかえることができます。

例 Where do you live?＝What city do you live in?

同じようにwhen（いつ）は、at what time（何時に）で言いかえられます。ただし、ふつうは**what time**で言いかえることが多いのです。

例 When do you go to bed?＝What time do you go to bed?

これだけは覚えましょう

疑問副詞 ： when〔ウェンヌ〕いつ　where〔ウェアァ〕どこに　why〔ワーィ〕なぜ
how〔ハーゥ〕どのように、どれくらい
話の内容を掘り下げて「**時-場所-理由-方法-程度**」などをたずねるときに使います。

track 27

1 Where do you live?

2 Why do you like summer?

3 How do you eat this fish?

4 When do you go to bed?

練習問題

次の日本語を英語で言ってみましょう。

（1）あなたは何時にねますか。

ベッドに入る·ねる: go to bed〔ゴーゥ チュ ベッ·〕

（2）あなたは東京をどれくらい気に入っていますか。

気に入っている: like〔ラーィクッ〕、どれくらい: how〔ハーゥ〕

（3）あなたはなぜ東京を好きなのですか。

（1）What time do you go to bed?
（2）How do you like Tokyo?
（3）Why do you like Tokyo?

東京はいかがですか。
How do you like Tokyo?

28 これは何？彼らはだれ？とたずねる

**英語を話すのが上手になるポイントは、
どんどん話してみることです。
疑問に思ったことを、どんどんたずねてみましょう。
もし相手がいなくても、ひとりごとで会話してみるといいですよ。**

下のフレーズを、英語で話してみましょう！

1 これは何ですか。

2 このかばんはだれのものでしたか。

3 あの背が高い少年たちはだれですか。

4 あなたのかさは何色ですか。

文のつくり方を覚えましょう

疑問詞（what, whose, who, what color, which, how）をbe動詞といっしょに使うときは、**疑問詞＋be動詞～?**が決まったパターンです。

（1）何ですか　＋これ?
What is　this

（2）だれのものでしたか　＋　このかばん?
Whose was　this bag?
だれのもの　whose〔フーズ〕

（3）だれですか　＋　あれらの背が高い少年たち?
Who are　those tall boys?

（4）何色ですか　＋　あなたのかさ?
What color is　your umbrella?
発音〔ワッ・カラァ〕

これだけは覚えましょう

How old is ～？は「できてからどれくらいたっていますか」をあらわすので、いろいろな日本語を英語に直すときに使えます。

例 あなたの家はどれくらいたっていますか。
How old is your house?

例 あなたの赤ちゃんは産まれてどれくらいたちますか？
How old is your baby?

track 28

1 What's〔is〕this?

2 Whose was this bag?

3 Who are those tall boys?

4 What color is your umbrella?

3日目

練習問題

次の日本語を英語で言ってみましょう。

（1）あなたのお父さんはどんな具合(ぐあい)ですか。　どんな具合: how〔ハーゥ〕

（2）あなたのお父さんは何才ですか。　何才: how old〔ハーゥ オーゥオドゥ〕

（3）この建物(たてもの)はどれくらい高いですか。

どれくらい高い: how high〔ハーゥ ハーイ〕

（1）How is your father?

（2）How old is your father?

（3）How high is this building?

ここが大切！

oldには「ある古さがある」、highには「ある高さがある」という意味があるので、how oldで「どれくらいの古さがあるのか＝何才」、how high で「どれくらいの高さがあるのか」のような意味になります。

発音 long〔ローン・〕ある長さがある　large〔ラーヂッ〕ある大きさがある

29 だよね？と不安になったら確認する

「～ね。」をあらわす付加疑問文は、
「否定、疑問？」と覚えればよいのです。

下のフレーズを、英語で話してみましょう！

1 トニーは先生ですね。

2 トニーは先生ではないですね。

3 トニーは日本語を話しますね。

4 トニーは日本語を話しませんね。

●「トニーは先生だ。」とパシッと言い切った後に（本当にそうだったかな）と**不安になって確認**したり、「あなたもそう思うでしょ。」と**同意してもらいたい**ときに、つづけて疑問文をつけ加えます。

文のつくり方を覚えましょう

言い切った文がふつうの文のとき、,の後は否定疑問文。
言い切った文が否定文のとき、　,の後は疑問文。

（1）Tony is a teacher, isn't he?
ふつうの文（肯定文）→否定疑問文

（2）Tony is not a teacher, is he?
否定文　→疑問文

ここが大切！

Tony is ～, isn't he? は**Yes. の返事を期待**するときに、
Tony isn't ～, is he? は**No. の返事を期待**するときに使います。

これだけは覚えましょう

「私の言うことは正しいので、私の言うことに同意してください。」
→付加疑問文の**最後を下げ**て言います。
「私の言っていることが正しいかわからないので、確認してください。」
→付加疑問文の**最後を上げ**て言います。

track 29

1 Tony is a teacher, isn't he?〔↘〕

2 Tony isn't a teacher, is he?〔↘〕

3 Tony speaks Japanese, doesn't he?〔↘〕

4 Tony doesn't speak Japanese, does he?〔↘〕

練習問題

次の日本語を英語で言ってみましょう。

（1）このかばんはあなたのものですね。
（2）このかばんはあなたのものではありませんよね。
（3）あなたはネコを1ぴき飼(か)ってますね。　～を飼う: have〔ヘァヴッ〕

（1）This bag is yours, isn't it?
（2）This bag isn't yours, is it?
（3）You have a cat, don't you?

～，の後は、主語の代名詞を使ってください。
This bag→it　That boy→he

ここをまちがえる！

英語では、相手がどんな聞き方をしてきても、Yes.ならば「～です。」「～します。」、No.ならば「～ではありません。」「～しません。」となります。

30 さそいたいとき、やんわり注意したいときも疑問文をつけくわえる

「～しようか。」「～してね。」
付加疑問は、Let's のときは～，shall we? 命令文は～，will you? または，won't you? をつけます。

下のフレーズを、英語で話してみましょう！

1 注意してね。

2 そのまどを開けてね。

3 つりに行きましょうよ。

4 篠山城（ささやま）まで行きましょうよ。

ここが大切！

- Let's から始めて、～ , shall we? をつけると、軽い感じでさそえます。
- 相手にやんわり注意したいときは、動詞またはBe＋形容詞から始めて、～，の次にwill you? またはwon't you?をつけましょう。

文のつくり方を覚えましょう

（1）注意して　＋　ね
Be careful,　will you?

（2）開けて　（何を）　そのまど　＋　ね
Open　the window,　won't you?
will you? とwon't you?だと、will you?のほうがよりくだけています

（3）行きましょうよ　（何をしに）　つりをしに　そうしませんか
Let's go　fishing,　shall we?

（4）行きましょうよ　（どこへ）　篠山城（ささやま）　そうしませんか
Let's go　to　Sasayama Castle,　shall we?

ここで使う単語

注意して be careful 〔ビーケアァフォー〕

ね？ will you? 〔ウィリュー〕

ですよね？ won't you? 〔ウォーゥンチュー〕

つりに行く go fishing 〔ゴーゥ フィッシン・〕

そうしませんか？ shall we? 〔シャオウィー〕

行きましょうよ let's go 〔レッツゴーゥ〕

track 30

1 Be careful, will you?

2 Open the window, will you?

3 Let's go fishing, shall we?

4 Let's go to Sasayama Castle, shall we?

3日目

練習問題

次の日本語を英語で言ってみましょう。

（1）私たちといっしょにやりませんか。 ～の仲間になる: join 〔ヂョーインヌ〕

（2）1ぱい飲みませんか。 1ぱい飲む: have a drink 〔ヘァヴァ ジュリンクッ〕

（3）8時に私を起こしてくれますか。 私を起こす: wake me up 〔ウェーィク ミーアップッ〕

（1）Join us, will you〔won't you〕?

（2）Let's have a drink, shall we?

（3）Wake me up, will you?

これだけは覚えましょう

まどを開けてくれますか。

（1）Will you open the window? （2）Open the window, will you?

おどりませんか。

（1）Shall we dance? （2）Let's dance, shall we?

4日目

いろいろな動詞を使いこなす

31 動作をあらわす動詞と状態をあらわす動詞

英語には go（行く）, walk（歩く）など動作をあらわす動詞と live(住んでいる), sleep(ねむる)など状態をあらわす動詞があるので、言いたいことが一時的なものなのか考えて話しましょう。

下のフレーズを、英語で話してみましょう！

1 あなたは何時にねますか。

2 私は 10 時にねます。

3 あなたは何時間ねるのですか。

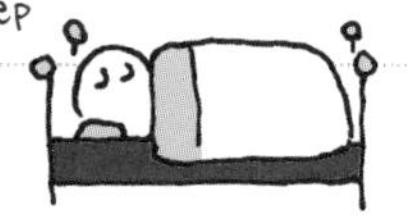

4 私は８時間ねます。

ここが大切！

日本語を英語に訳(やく)すときに、**動作(どうさ)**をあらわしているか、**状態(じょうたい)**をあらわしているかを考えましょう。

sleep…ねむるという状態をあらわす動詞　（図：sleep → 状態）

→「何時間」ねるかは言えるけれど「何時に」ねるかは言えない

go to bed…ねる、ベッドの中に入る、という動作をあらわす動詞句　（図：go to bed → 動作）

→「何時に」ベッドの中に入るとは言えるけれど

「何時間」ベッドの中に入るというのはおかしい

keep diary …（継続的に）日記をつける　状態

write in a diary …日記に書く、１回の動作として日記をつける　動作

状態 wear〔ウェアァ〕～を日常的に身につけている

状態 be＋wearing〔ウェアゥリン・〕～を一時的に身につけている

動作 put on〔プトンヌ〕～を身につける

ふつうは、動作をあらわす動詞にing をつけて状態をあらわすことばにかえるのですが、たまに状態をあらわす動詞にing をつけて、一時的な状態をあらわす場合があります。

track 31

1 What time do you go to bed?

2 I go to bed at ten (o'clock).

3 How many hours do you sleep?

4 I sleep for eight hours.

4日目

練習問題

次の日本語を英語で言ってみましょう。

（1）トニーはめがねをかけています。〔日常的に〕

（2）トニーは今日はめがねをかけていますよ。〔一時的に〕

（3）このくつをはきなさいよ。

（1）Tony wears glasses.

（2）Tony is wearing glasses today.

（3）Put on these shoes.

（1）日常的なので、wears（2）一時的なので、is wearing （3）動作なので、put on

「このめがねをかけていなさいよ」と言いたいときはどう言うのですか。

この場合は、動作＋状態なので、Wear these glasses. とします。

32 「～のように見える」と意見を伝える

「～のように見える」を
look, seem, appear, look like で言うのに
使い分けるコツがあります。

下のフレーズを、英語で話してみましょう！

1 あの先生は見た感じが親切そうです。

2 あの先生は様子(ようす)から考えて親切そうです。

3 あの先生は親切そうに見えるけど、
実際にはわかりませんよ。

4 雨が降りそうです。

ここが大切！ **相手の気持ちを決めつけない**

●英語でも日本語でも、「あなたは幸せだ。」のように言うことはありません。相手の気持ちを勝手に決めつけることはできないからです。
決めつけをさけたいときに、lookなどを使って You look happy.（あなたは幸せ**そうですね**。）のように使います。
下の表現を使い分けるコツがあります。

- look〔ルッ クッ〕…見た感じが～のように見える
- seem〔スィームッ〕…様子や状況(じょうきょう)から～のように見える
- appear〔アピアァ〕…～のように見えるが、実際にはどうかわからない
- look like ＋名詞…（まるで）～のように見える、似ている

ここをまちがえる！

「（私は）あなたが幸せそうに見える」だと考えて、主語をI（私）にしてはいけません。

これだけは覚えましょう

あおいさんはダンサーのように見えます。

Aoi looks like a dancer.

あなたは和田かおるさんに似ています。

You look like Kaoru Wada.

track 32

1 That teacher looks kind.

2 That teacher seems kind.

3 That teacher appears kind.

4 It looks like rain.

4日目

練習問題

次の日本語を英語で言ってみましょう。

（1）あなたは幸せそうに見えますよ。

（2）あなたはあなたのお母さんに似（に）ていますよ。

（3）あの先生は幸せそうに見えますが、実際にはどうだかわかりませんよ。

（1）You look happy.

（2）You look like your mother.

（3）That teacher appears happy.

（1）は形容詞を使うのでlook　（2）は名詞を使うのでlook like

（3）は、実際にはどうかわからないと言いたいので、appear

appearは「あらわれる」という意味でよく使われます。

例 あるUFOがきのうあのビルの上の方にあらわれました。

A UFO appeared above that building yesterday.

〔ア ユー エフ オーゥ アピアァドゥッ アヴァヴッ ぜァッ ビオディン・いェスタァデーィ〕

33 「こんな感じ」を伝える

感覚に関する動詞をまとめて理解して話せるようになりましょう。

下のフレーズを、英語で話してみましょう！

1 この紙はさわるとつるつるした感じです。

2 このじゃがいもは甘い味がします。

3 このバラはにおいをかぐと甘い香りがします。

4 それは聞いた感じがおもしろそうですね。

ここが大切！

いろんな感覚を伝える言いかたをまとめて覚えましょう。

feel〔フィーオ〕…さわると～の感じがする
taste〔テーィストゥッ〕…食べると～の味がする
smell〔スメオ〕…においをかぐと～の香りがする
sound〔サーゥンドゥッ〕聞いた感じが～のように思える

これだけは覚えましょう

それはおいしい味がします。　It tastes good.
この下線を「どのような具合か。」「どのような状態にあるか。」をたずねたいときにはhowを使います。
How are you?（あなたはどのような具合ですか。＝お元気ですか。）
How does it taste?（それはどのような味がしますか。）

ここで使う単語

つるつるした smooth 〔スムーズッ〕

甘い sweet 〔スウィートゥッ〕

バラ rose 〔ゥロオーゥズッ〕

おもしろい interesting 〔インタゥレスッティン・〕

track 33

1 This paper feels smooth.

2 This potato tastes sweet.

3 This rose smells sweet.

4 That sounds interesting.

4日目

練習問題

次の日本語を英語で言ってみましょう。

（1）この紙はざらざらした感じがします。

ざらざらした: rough〔ゥラフッ〕

（2）これはにがい味がします。　にがい: bitter〔ビタァ〕

（3）それは味はいかがですか。

（1）This paper feels rough.

（2）This tastes bitter.

（3）How does it taste?

(3)「それは味はいかがですか。」をもう少し訳しやすい日本語にしてみると、「それはどのような味がしますか。」

34 「どんな感じ？」を聞く

動詞＋ like を覚えると英語で「どんな感じ？」と質問ができます。

下のフレーズを、英語で話してみましょう！

1 それをさわった感じはどうですか。

2 それは食べるとどんな味ですか。

3 それはどんな香り（かお）ですか。

4 それを聞いてみてどう思いますか。

文のつくり方を覚えましょう

●形容詞の状態をたずねるときはHowを使いますが、名詞の状態をたずねるときはWhatを使います。

例 It tastes like an apple.　「それはりんごのような味がする」

下線が答えになる英文をつくると…

What does it taste like?

（1）何　＋　それをさわると～のような感じがしますか
What　does it feel like?

（2）何　＋　それを食べると～のような味がしますか
What　does it taste like?

（3）何　＋　それは～のような香りがしますか
What　does it smell like?

（4）何　＋　それは～のように聞こえますか
What　does it sound like?

これだけは覚えましょう

私は生まれ変わったような感じがします。

I feel like a new man.

私はきょう丹波篠山(たんばささやま)を訪(おとず)れたい気分です。

I feel like visiting Tamba-Sasayama today.

track 34

1 What does it feel like?

2 What does it taste like?

3 What does it smell like?

4 What does it sound like?

練習問題

次の日本語を英語で言ってみましょう。

（1）これは手ざわりが絹(きぬ)みたいです。　絹: silk〔スィオクッ〕

（2）この部屋はペンキのようなにおいがします。　ペンキ: paint〔ペーィントゥッ〕

（3）あなたの話は聞いただけでは夢のように聞こえます。

話: story〔ストーゥリィ〕　夢: dream〔ジュリームッ〕

（1）This feels like silk.

（2）This room smells like paint.

（3）Your story sounds like a dream.

(1)(2)(3) likeの次にくる名詞が、数えられる名詞のときには、aがついています。

35 「～になった」と変化を伝える

「～なる」という意味をあらわす
become、get、grow を使い分けましょう。

下のフレーズを、英語で話してみましょう！

1 トニーは結婚しましたよ。

2 トニーは元気になってきていますよ。　get better

3 トニーはだんだん元気になってきていますよ。　grow better

4 トニーはふたたび元気になった。

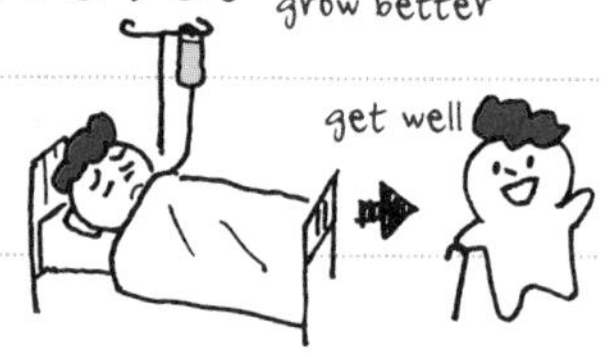

● become の方が get よりもかたい言い方です。

［ ～の状態になる　become, get
　 しだいに～の状態になる　grow

文のつくり方を覚えましょう

（1）トニーはなった　

結婚している状態に
Tony got married.

（2）トニーはなってきている　どんな状態に　良い方に向かって
Tony is getting better.

（3）トニーはだんだんなってきている　どんな状態に　より元気な状態に
Tony is growing better.

（4）トニーはなった　どんな状態に　元気な状態に　何を　ふたたび
Tony got well again.

be動詞は「状態」をあらわし、getは「動作」をあらわします。

トニーは結婚している。

Tony is married. 状態

トニーは結婚した。（トニーは結婚している状態になった。）

Tony got married. 動作

track 35

1 Tony got married.

2 Tony is getting better.

3 Tony is growing better.

4 Tony got well again.

4日目

練習問題

次の日本語を英語で言ってみましょう。

（1）トニーは疲(つか)れている。　　疲れて：tired〔ターィァドゥッ〕

（2）トニーは疲れてきている。

（3）トニーはだんだん疲れてきている。

（1）Tony is tired.

（2）Tony is〔getting, becoming〕tired.

（3）Tony is growing tired.

（2）getよりもbecomeのほうがかたい言い方です。

あなたはいつジュディーさんと結婚するのですか。

When will you marry Judy?

When will you get married to Judy?

36 「〜になった」と変化を伝える②

go…どちらかというと、悪い方になる。
turn…状態が変わって　〜になる。
come…よい方になる。
fall…急に〜になる。

下のフレーズを、英語で話してみましょう！

1 私の父の髪(かみ)は白くなってきています。

2 私の父の髪は白くなってきています。

3 あなたの夢は実現するでしょう。

4 私はねてしまった。

ここが大切！

●goは「遠ざかって行く」ということから、小さくなる、見えなくなるという意味をもち、人なら「死ぬ」、花なら「枯(か)れる」のように悪い方向に変わる意味で使われることが多くあります。

●goの反対はcomeで、「近づいて行く」ということから大きくなる、あらわれるのような意味をもち、花なら「咲く」のように良い方向に変わる意味で使うことが多いのです。

●turnは「回る」ということから、良いことが悪くなったり、悪いことが良くなったりというように「状態が変わる」ときに使えます。

●fallは「落ちる」という意味で、日本語でも「ねむりに落ちる」というと急にねむってしまうことをさすのと同じで、「急に〜になる」ときに使います。

ここで使う単語

gray〔グゥレーィ〕

〔形容詞〕灰色(はいいろ)の、〔名詞〕灰色、〔動詞〕白髪(しらが)になるという意味があります。

このことから、白髪のことを gray hair と言うことがわかります。

夢が実現するでしょう

dream will come true〔ジュゥリームッ ウィオ カムッ チュルー〕

track 36

1 My father is going gray.

2 My father is turning gray.

3 Your dream will come true.

4 I fell asleep.

練習問題

次の日本語を英語で言ってみましょう。

（1）このミルクはくさりかけている。

（2）私の夢は実現しました。

（3）私はいつの間にかねてしまった。

いつの間にか: before I knew it〔ビフォー アーイ ニュー イッ・〕

（1）This milk is going bad.

（2）My dream came true.

（3）I fell asleep before I knew it.

（1）go bad は、悪い状態になる＝くさる

発音のコツ

◉ l の次にア、イ、ウ、エ、オがこないときは、オまたはウのように発音すると英語らしく聞こえます。milk〔ミオクッ〕 fell〔フェオ〕

◉ tra（チュラ）、tri（チュリ）、tru（チュル）、tre（チュレ）、tro（チュロ）のように発音すると英語らしく聞こえるので、true は〔チュルー〕と言えばよいでしょう。

4日目

37 「～なってしまった」と残念な変化を伝える

go と run は悪い方になることをイメージさせます。
run は液体についてよく使われます。

下のフレーズを、英語で話してみましょう！

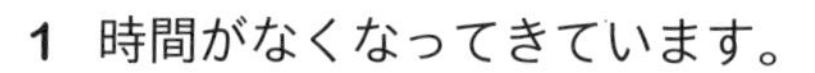

1 時間がなくなってきています。

2 この川は水位が上がってきています。

3 この池は干上がってきています。

4 この池は干上がってきています。

文のつくり方を覚えましょう

（1）時間が悪い状態になってきている 

足りない

Time is running short.

（2）この川は悪い状態になってきている 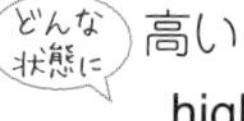

高い

This river is running high.

（3）この池は悪い状態になってきている 

干上がった

This pond is running dry.

（4）この池は悪い状態になってきている どんな状態に 干上がった

This pond is going dry.

これだけは覚えましょう

short とdry が同じ意味で使われることがあります。

例 私のお金は足りなくなってきています。

My money is running short.

My money is running dry.

発音のコツ

ingのgの音は、鼻から息を抜くようにして発音します。〔イング〕というよりは〔イン〕と発音する方がよいと思います。dryはdとrが1かたまりであることを意識して〔ジュラーィ〕または〔ジュアーィ〕と発音するとよいと思います。

track 37

1 Time is running short.

2 This river is running high.

3 This pond is running dry.

4 This pond is going dry.

練習問題

次の日本語を英語で言ってみましょう。

（1）私たちのお金は底をついてきていますよ。

（2）この川は干上がってきていますよ。

（3）このペンはインクが出なくなってきています。

（1）Our money is running〔short, dry〕.

（2）This river is〔running, going〕dry.

（3）This pen is〔running, going〕dry.

(1)(2)(3) 水や液体がなくなるというのを英語でrun〔go〕dryと言います。

38 ずっと～の状態でいる動詞

「～になる」をあらわす動詞と反対に
「ずっと～でいる」、つまり変わらないことをあらわす動詞もあります。

下のフレーズを、英語で話してみましょう！

1 私は健康でいたい。

stay healthy

2 私は健康でいたい。

keep

3 私は健康でいたい。

remain

4 私はじょうぶでいたい。

stand

ここが大切！

●「ずっと～（形容詞）の状態でいる」をあらわすには、次の4つの動詞を使えます。

- stay, keep …会話でもよく使われる
- remain, stand …かたい言い方

●standだけはいっしょに使える形容詞がかぎられるので、stay、keep、remainをまず覚えて使うとよいでしょう。

例 ずっと元気でいてね。 Stay healthy.
ずっと若く健康でいてね。 Stay young and healthy.
じっと立っていなさい。 Stand still. 発音〔ステァン・スティオ〕

ここをまちがえる！

動作(どうさ)〔行為(こうい)〕が続いているときは、keep ～ ing を使います。

例 ずっとあくびをしていますね。

You keep yawning.

発音 yawning〔ヨーニン・〕

くり返しを強調するときは keep on ～ing

ここで使う単語

ずっと〜のままである、とどまる、滞在(たいざい)する stay〔ステーィ〕

ずっと〜のままである、保つ keep〔キープッ〕

ずっと〜のままである、とどまる remain〔ゥリメーィンヌ〕

〜の状態のまま動かない、立つ stand〔ステァン・〕

track 38

1 I want to stay healthy.

2 I want to keep healthy.

3 I want to remain healthy.

4 I want to stand strong.

4日目

練習問題

次の日本語を英語で言ってみましょう。

（1）私は黙(だま)ったままでいました。黙っている: silent〔サーィレントゥッ〕

（2）私は黙ったままでいました。

（3）ずっと立っていなさい。

（1）I kept silent.

（2）I remained silent.

（3）Remain standing.

(1) keep〔キープッ〕の過去形はkept〔ケプットゥッ〕です

(3) 状態が続いているので、remain 〜 ing を使います。

39 ○に△を〜する

日本語の「を」「に」が１つの日本文にあるときは、
２種類の英文ができます。
どちらもほとんど同じ意味です。

下のフレーズを、英語で話してみましょう！

1 私に英語を教えてください。

2 英語を私に教えてください。

3 私にこの本を買ってよ。

4 この本を私に買ってよ。

●日本文の中に「を」「に」があるときは、次の２つのパターンで英文に直せます。

教える	teach ＋人＋物	teach ＋物＋ to 人
買う	buy ＋人＋物	buy ＋物＋for 人

（１）教えてください（だれに）私に（何を）英語
Please teach me English.

（２）教えてください（何を）英語（だれに）私
Please teach English to me.

（３）買ってよ（だれに）私に（何を）この本
Buy me this book.

（４）買ってよ（何を）この本（だれに）私
Buy this book for me.

ここをまちがえる！ toとforの使い分け方

動詞によってtoとforを使い分けます。
かんたんに言うと、「～に」のところを～の代わりに（for）に直してみて、
意味がもとの日本語と変わらなければfor、
意味が変わってしまうときはtoを使ってください

例 私に〔私の代わりに〕この本を買ってよ。○ →for
例 私に〔私の代わりに〕英語を教えてよ。× →to

track 39

1 Please teach me English.

2 Please teach English to me.

3 Buy me this book.

4 Buy this book for me.

練習問題

次の日本文を英文に直して言ってみましょう。

（1）私は直美さんに英語を教えています。
（a）　　（b）

（2）私にいすを1つつくってくださいよ。　いす: chair〔チェアァ〕
（a）　　（b）

（1）(a)I teach Naomi English.
(b)I teach English to Naomi.
（2）(a)Please make me a chair.
(b)Please make a chair for me.

（2）「私に」の部分を「私の代わりに」と言いかえても意味が変わらないので、forを使って言いかえられます。

40 ○に△を〜する②

write は人○＋物△　または物△ ＋to＋ 人○で
「○に△を書く」をあらわすことができます。
「○の代(か)わりに△を書く」と言いたいときだけは for＋ 人○で
使いましょう。

下のフレーズを、英語で話してみましょう！

1　私は直美さんに手紙を書いた。

2　私は手紙を直美さんに書いた。

3　私は直美さんの代(か)わりに手紙を書いた。

4　私の代わりに手紙を書いていただけますか。

●write ＋人＋物 ＝ write ＋物＋ to ＋人＝人に物を書く

write ＋物（B）＋for ＋人（A）にすると、「A さんの代わりにBを書く」という意味になります。

（2）私は書いた　何を　1通の手紙　だれに　直美さん
I wrote　a letter　to　Naomi.

（3）私は書いた　何を　1通の手紙　だれの代わりに　直美さん
I wrote　a letter　for　Naomi.

これだけは覚えましょう

to タイプ… 〜を見せる show〔ショーゥ〕　〜をあげる、〜をくれる give〔ギヴッ〕
〜を送る send〔センドゥッ〕

for タイプ… 〜を建(た)てる build〔ビオドゥッ〕　〜を料理する cook〔クックッ〕
〜を見つける find〔ファーインドゥッ〕

発音のコツ

～を書く　write〔ゥラーィトゥッ〕　～を書いた　wrote〔ゥローゥトゥッ〕
wは、はっきり発音しませんが、rの音を出すときに、軽くウと言ってから、ラーィトゥッのように言うと、rの正しい音が出せます。

track 40

1 I wrote Naomi a letter.

2 I wrote a letter to Naomi.

3 I wrote a letter for Naomi.

4 Would you write a letter for me?

4日目

練習問題

次の日本語を英語で言ってみましょう。

（1）私のかさをもってきてよ。

（2）私のかさをもってきてよ。〔toを使って〕

（3）私のために〔代わりに〕私のかさをもってきてよ。

（1）Bring me my umbrella.

（2）Bring my umbrella to me.

（3）Bring my umbrella for me.

（1）と（2）の日本語に、「私に」をつけ加えて考えましょう。
→「私に私のかさをもってきてよ。」
（3）toは、「～に」という動作の対象（たいしょう）をあらわし、forは、「～のために」、「～の代わりに」をあらわします。

41 〜な気分にする make

日本語で「△のおかげで○が〜の状態だ」と言いたいとき
「△が○を〜の状態にする」という意味にとらえ直して
make ＋名詞＋形容詞であらわすと、英語らしい言い方になります。

下のフレーズを、英語で話してみましょう！

1 どうか私を幸せにしてください。

2 あなたは私を怒(おこ)らせた。

3 どうぞ気楽(きらく)にしてください。

4 これで私たちは五分五分ですね。

ここが大切！

●make A B のパターンで「A を B の状態にする」をあらわします。
A には名詞が入り、B には形容詞が入ります。

（1）どうぞしてください　だれを　私を　どんな状態に　幸せな
Please make　me　happy.

（2）あなたはさせた　だれを　私を　どんな状態に　怒らせた
You made　me　angry.

（3）どうぞしてください　だれを　あなた自身を　どんな状態に　気楽な
Please make　yourself　comfortable .

（4）これがする　だれを　私たちを　どんな状態に　五分五分の
This makes　us　even.

1つの英文の中で、同じ人のことをくり返し言いたいとき、2つ目の人のところには、～selfを入れます。

例 私の言ったこと〔私の説明〕は、はっきりわかりましたか。

Did I make myself clear ?
させる 私の言ったこと はっきり

track 41

1 Please make me happy.

2 You made me angry.

3 Please make yourself comfortable.

4 This makes us even.

4日目

練習問題

次の日本語を英語で言ってみましょう。

（1）このヒーターのおかげで私の部屋はあたたかい。

ヒーター: heater〔ヒータァ〕 あたたかい: warm〔ウォームッ〕

（2）私はあなたを幸せにしてあげたい。

（3）あなたはよく私を怒らせる。

（1）This heater makes my room warm.

（2）I want to make you happy.

（3）You often make me angry.

(1)「このヒーターのおかげで私の部屋はあたたかい」を「このヒーターが私の部屋をあたたかい状態にしてくれる」と考えるとよい。

42 「○○を～にしたい」をmakeで伝える

1日目に練習した～, pleaseを使えば「名詞を～の状態にしてください」と伝えられます。

下のフレーズを、英語で話してみましょう！

1 私の紅茶をあまくしてください。

2 私の紅茶をあまくしてください。

3 私は私の紅茶をあまくして飲むのが好きなんですよ。

4 私はあまい紅茶をいただきたいのですが。

ここが大切！

make＋物＋形容詞で　物を～の状態にする

●これを利用すると、いろいろな表現をつくり出すことができます。

（1）して～ください　何を　私の紅茶　どんな状態　あまい
Please make my tea sweet.

●形容詞＋enを使うと、このようにもできます。

（2）あまくしてください　何を　私の紅茶
Please sweeten my tea.

●いろいろな言い方を考えてみましょう。

（3）私は好きなんです　何を　私の紅茶　どんな状態　あまい
I like my tea sweet.

（4）私はいただきたい　私の紅茶　どんな状態　あまい
I'd like my tea sweet.

これだけは覚えましょう

I'd like〔アイジュライックッ〕 = I would like
I want（私はほしい）をていねいに言う言い方です。

track 42

1 Please make my tea sweet.

2 Please sweeten my tea.

3 I like my tea sweet.

4 I'd like my tea sweet.

4日目

練習問題

次の日本語を英語で言ってみましょう。

（1）私は濃（こ）いコーヒーが好きなんですよ。
（2）私は薄（うす）いコーヒーをいただきたいのですが。
（3）私のコーヒーを薄くしてください。

（1）I like my coffee strong.
（2）I'd like my coffee weak.
（3）Please make my coffee weak.

（1）（2）時と場合によっては、I like my coffee strong. でも「濃いコーヒーをお願いします。」という意味になります。
（3）Please weaken my coffee. とすることもできます。Please ～. = ～, please.

薄（うす）い weak〔ウィークッ〕 味でなければ「弱い」
濃（こ）い strong〔スチュロン・〕 味でなければ「強い」

43 だれかをこき使うときの表現

「だれかに〜させる」「だれかに〜してもらう」と言いたいときは
make、let、get、have を使いこなしましょう。
やってもらうときの気持ちが少しちがうので上手に使い分けましょう。

下のフレーズを、英語で話してみましょう！

1 それでは私は、無理(むり)やりトニーをそこに行かせますよ。

2 それでは私は、トニーが行きたいのであれば
彼をそこに行かせますよ。

3 それでは私は、トニーをそこに行かせますよ。

4 それでは私は、トニーを説得(せっとく)してそこに行かせよう。

make
let
have
get

ここが大切！

- make ＋人＋動詞の原形 …無理やり〜させる
- let ＋人＋動詞の原形 …許可(きょか)をして〜させる
- have ＋人＋動詞の原形 …〜させる、〜してもらう
- get ＋人＋ to ＋動詞の原形 …説得して〜させる

（1）私は無理やりさせますよ　だれを　トニー　どうする　行く　そこに
I'll make Tony go there.

（2）私は（行きたいのであれば）させますよ　だれを　トニー　どうする　行く　どこに　そこに
I'll let Tony go there.

（3）私はさせますよ　だれを　トニー　どうする　行く　どこに　そこに
I'll have Tony go there.

（4）私は説得してさせる　だれを　トニー　どうする　行く　どこに　そこに
I'll get Tony to go there.

have＋人＋動詞の原形は、「人に～させる」だけでなく「人に～してもらう」という意味もあります。目上の人に「～してもらう」と言いたいなら、誤解のないようask＋人＋to＋動詞を使いましょう。

I had my roommate clean our room.
私は私のルームメートに私たちの部屋をそうじしてもらった。

I asked my mother to clean my room.
私は私の母に頼(たの)んで私の部屋をそうじしてもらった。

track 43

1 Then I'll make Tony go there.

2 Then I'll let Tony go there.

3 Then I'll have Tony go there.

4 Then I'll get Tony to go there.

練習問題

次の日本語を英語で言ってみましょう。

（1）それでは、私は無理やりトニーを家にいさせます。

それでは、私は: Then I〔ゼナーイ〕

（2）それでは、私は（家にいたいのであれば）トニーを家にいさせます。

（3）それでは、私はトニーを説得して家にいさせます。

（1）Then I will make Tony stay home.
（2）Then I will let Tony stay home.
（3）Then I will get Tony to stay home.

willを使っているのは、話をしているときにすることを決めているからです。
すでにすることを決めているときは、be going to を使います。

44 だれかに〇〇を～してもらう have、get

「だれかに〇〇を～してもらう」を伝えるとき、
have や get を使ってあらわすことができます。

下のフレーズを、英語で話してみましょう！

1 私は私の父に家を建（た）ててもらった。

have+ 人の形で

2 私は私の父に
家を建ててもらった。

get+ 人＋ to の形で

3 私は私の父に
家を建ててもらった。

have+ 物の形で

4 私は私の父に家を建ててもらった。

get+ 物の形で

ここが大切！

●「だれかに〇〇を～してもらう」を次の４種類の英語に訳せます。

（１）have ＋人＋動詞の原形＋物
（２）get ＋人＋ to ＋動詞の原形＋物
（３）have ＋物＋過去分詞形＋ by ＋人
（４）get ＋物＋過去分詞形＋ by ＋人

（１）（２）のように、人を先にもってくるときは動詞の原形　または to ＋動詞の原形をつづけます。

I had my father build a house.
have 人 動詞の原形 物

（３）（４）は、物を先にもってきて「～された〇〇」となっているので、build の過去分詞形である built を使っています。

I had a house built by my father.
have 物 過去分詞形 by 人

have＋人＋動詞の原形と get＋人＋to＋動詞の原形の覚え方を教えてください。

・I had my father（私と私の父はすでにいっしょにいた）ので、すぐに build（建ててもらえる）。
・I got my father（私の父をまずつかまえた）そして説得して（to）、やっと build（建ててもらえる）。

と覚えましょう。

track 44

1 I had my father build a house.

2 I got my father to build a house.

3 I had a house built by my father.

4 I got a house built by my father.

練習問題

次の日本語を英語で言ってみましょう。

（1）私は私の父にこの机をつくってもらった。　have＋人の形で
（2）私は私の父にこの机をつくってもらった。　get＋人＋toの形で
（3）私は私の父にこの机をつくってもらった。　上記以外で

（1）I had my father make this desk.
（2）I got my father to make this desk.
（3）I had〔got〕this desk made by my father.

（1）have＋人＋動詞の原形
（2）get ＋人＋to＋動詞の原形
（3）「私の父によってつくられたこの机」と考えて、つくるの過去分詞形のmadeを使います。

4日目

5日目

時制❶ 現在形と過去形

45 これまでずっと、これからもずっとすることを話す現在形

過去、現在、未来まで続いていると思えることを伝えるときに英語では現在形を使います。

下のフレーズを、英語で話してみましょう！

1 私は英語を教えています。

2 私は毎朝8時に起きます。

3 私はあなたのことが大好きです。

4 私は毎日6時間ねます。

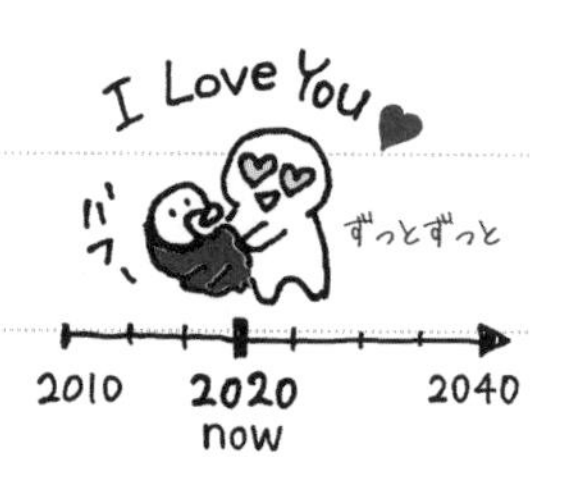

ここが大切！

●過去、現在、未来まで同じことをする（または、思っている）ことを伝えるのに、動詞の現在形を使います。

文のつくり方を覚えましょう

（1）私は教えています　（何を）　英語
I teach English.

「今」も教えているけれど、これからもずっと教える気持ちがある

（2）私は起きます　（何時に）　8時　（いつ）　毎朝
I get up at eight o'clock every morning.
きのうも今日もあすも毎朝

（3）私は大好きです　（だれを）　あなたを
I love you.
これまでも、これからもずっと大好き

（4）私はねむります 

6時間 

毎日
I sleep for six hours every day.

ここが大切！

8時に at eight o'clock の o'clock は省略（しょうりゃく）することが多いのです。
6時間ねます。＝sleep for six hours の for を省略することもできますが、学校英語では for を入れるのがふつうです。

track 45

1 I teach English.

2 I get up at eight o'clock every morning.

3 I love you.

4 I sleep for six hours every day.

練習問題

次の日本語を英語で言ってみましょう。

（1）私は毎日朝食をとります。　朝食：breakfast〔ブゥレックフェアスットゥッ〕
（2）私は毎晩10時にねます。
（3）私はネコが好きです。

（1）I have breakfast every day.
（2）I go to bed at ten o'clock every night.
（3）I like cats.

ここをまちがえる！

「私は～が好きです。」をあらわすとき、数えられる名詞をあらわしているときは、名詞に s をつけることが一般的です。

例 私はネコが好きです。　I like cats.

ただし、スイカのようにいくつかに切って食べるのがふつうのものは、sをつけません。　例 私はスイカが好きです。　I like watermelon.

46 今の状態を伝える現在形

現在の状態をあらわしているときは、現在形を使います。
be 動詞は主語によって is, am, are を使い分けましょう。

下のフレーズを、英語で話してみましょう！

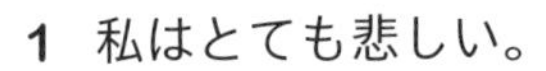

1 私はとても悲しい。

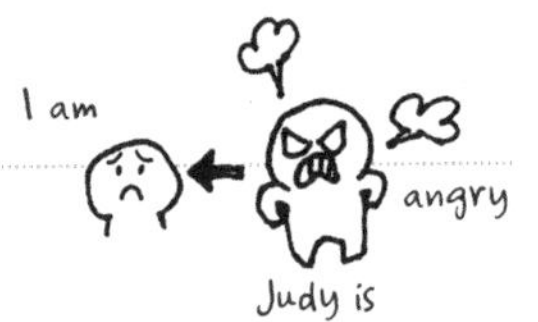

2 ジュディーさんは私に怒(おこ)っている。

3 あなたはとてもかわいい。

4 直美さんは私の母に親切です。

●現在の状態をあらわしたいときは、現在形を使います。

英文の中に入れる動詞が見つからないときは、is,am,are **＋単語**で正しい英語にすることができます。

文のつくり方を覚えましょう

（1）私ですよ　どんな状態　とても悲しい
I am very sad.

（2）ジュディーさんですよ

怒っている

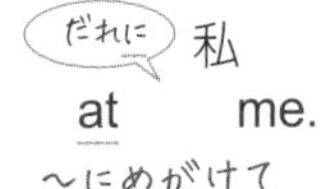

私
Judy is angry at me.
～にめがけて

（3）あなたですよ

とてもかわいい
You are very pretty.

（4）直美さんですよ

親切な

私の母
Naomi is kind to my mother.
～に対して

人に対して怒(おこ)る場合はbe angry with、物事や行為(こうい)に対して怒る場合はbe angry at を使うと学校英語では教えていますが、アメリカ英語では、どちらの場合もatを使うことが多いのです。

track 46

1 I am very sad.

2 Judy is angry at me.

3 You are very pretty.

4 Naomi is kind to my mother.

5日目

練習問題

次の日本語を英語で言ってみましょう。

（1）私は今とてもいそがしい。

（2）私は幸せです。

（3）私はあなたには怒っていませんよ。

（1）I'm〔am〕very busy now.

（2）I'm〔am〕happy.

（3）I'm not〔I am not 〕angry at〔with〕you.

「幸せです」を英語に直すときは、「幸せな状態である」と考えます。

kind（親切な·形容詞）の代わりにkindness（親切·名詞）を使うこともあります。all または itself といっしょに言いましょう。

例 直美さんは親切そのものですよ。　Naomi is all kindness.
（直美さんはとても親切ですよ。）　Naomi is kindness itself.

47 みんな知ってる、ずっと変わらないアレを話す現在形

一般的な事実や変わらない真理をあらわすときは、現在形を使います。

下のフレーズを、英語で話してみましょう！

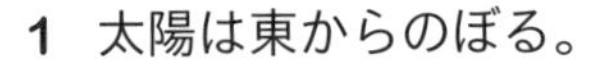

1 太陽は東からのぼる。

2 太陽は西に沈む。

3 青森は雪がたくさん降ります。

4 富士山は日本で一番高い山です。

ここが大切！ 過去も、今も、これからも変わらない

●太陽は東からのぼって西に沈むのが変わることはありません。こうした一般的な事実や、ずっと変わらない真理は現在形であらわします。

●主語が「太陽」のようにIやyou以外の単数の場合、動詞のあとにsをつけるのを忘れないようにしましょう。

（1）太陽はのぼる　（どこに）　東の方
The sun rises　in　the east.
太陽は東からのぼる。→太陽は東の方にのぼる。

（3）雪が降る　（どれくらい）　たくさん　（どこで）　青森
It snows　a lot　in　Aomori.

（4）富士山ですよ　（何なの）　一番高い山　（どこで）　日本
Mt.Fuji is　the highest mountain　in　Japan.

「太陽は東からのぼる」という日本語から考えると、✕ rises from the eastと話しがちですが、〇 in the eastが正しいのです。
なぜなら、英語のinに「動作が起こる方向·方角に」の意味があるからです。太陽がのぼるところが東の方向にあるので、in the eastを使うのです。

track 47

1 The sun rises in the east.

2 The sun sets in the west.

3 It snows a lot in Aomori.

4 Mt.Fuji is the highest mountain in Japan.

5日目

練習問題

次の日本語を英語で言ってみましょう。

（1）月は地球のまわりを回っています。

～のまわりを回る：goes around〔ゴーゥザゥラーゥンドゥッ〕

（2）日本は地震国です。

地震国: a land of earthquakes〔ア レァンダヴァ～すクウェークスッ〕

（3）トマトは野菜です。 トマト: a tomato〔ア トメーィトーゥ〕

野菜: a vegetable〔ア ヴェヂタボー〕

（1）The moon goes around the earth.
（2）Japan is a land of earthquakes.
（3）A tomato is a vegetable.

ここが大切！

1つしかないもの（名詞）にはtheをつけます。

例 太陽 the sun　　月 the moon

48 「昔は～だったなあ。」を話す 過去形

「昔は～だった（けれど今はそうではない）」とふり返って話すとき
am と is の過去形は was となり、
are は were になります。

下のフレーズを、英語で話してみましょう！

1 私は、きのういそがしかった。

2 私の父は、きのう
いそがしかった。

3 私の父と私は、きのう
いそがしかった。

4 あなたは、きのうここにいなかった。

I was
my father was
yesterday
now
my father and I were

ここが大切！ **昔のことをふり返って話す過去形**

●過去のことをふり返って話すとき、日本語では「～だった」と「た」をつけて話しますが、英語では、**過去形**を使ってあらわします。

●be動詞の過去形は、主語によってwas, wereを使い分けます。

wが過去をあらわし、am＋is＝ amisとなり、w+a+s ＝was
wが過去をあらわし、areの前にwをおくとwareとなり、aをeに変えてwere

（2）私の父だった　どんな状態　いそがしい　いつ　きのう
My father was busy yesterday.
Iとyou以外で1人（現在形ならis）→was

（3）私の父と私だった　どんな状態　いそがしい　いつ　きのう
My father and I were busy yesterday.
2人以上（現在形ならare）→were

were〔ワ～〕 are の過去形

ware〔ウェアァ〕 s をつけて複数形にすると、露天商(ろてんしょう)の商品

これだけは覚えましょう

be動詞には、2つ意味があります。

（1）～です （2）います〔あります〕

track 48

1 I was busy yesterday.

2 My father was busy yesterday.

3 My father and I were busy yesterday.

4 You weren't〔were not〕here yesterday.

5日目

練習問題

次の日本語を英語で言ってみましょう。

（1）私は、きのう丹波篠山にいました。 に: in〔イン〕

（2）私の父は、きのう松本にいました。

（3）あなたは、きのう熊本にいました。

（1）I was in Tamba-Sasayama yesterday.

（2）My father was in Matsumoto yesterday.

（3）You were in Kumamoto yesterday.

これだけは覚えましょう

私は大阪駅にいました。

（1）I was at Osaka Station.

at は、大阪駅を1つの地点と考えています。

（2）I was in Osaka Station.

in は、大阪駅の中にいることをあらわします。

49 「昔は～したなあ。」とふり返る過去形

「昔は～した（けれど今はしていない）。」とふり返って話すとき動詞の過去形を使います。
原形から過去形にするとき、２種類のパターンがあります。

下のフレーズを、英語で話してみましょう！

1 私は去年丹波篠山に住んでいました。

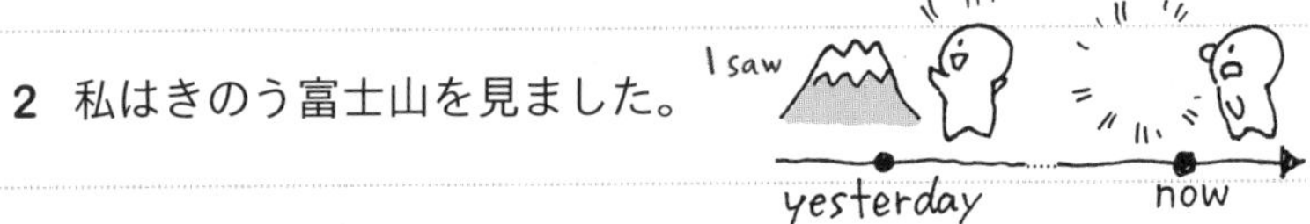

2 私はきのう富士山を見ました。

3 私はきのう京都へ行きました。

4 私はきのうリンゴを１個食べました。

ここが大切！ **動詞の過去形には２パターンある**

●動詞には、原形（辞書にのっている動詞のみだし語）を変化させて、過去をあらわしたいとき、次の２つのパターンで過去形をあらわすことができます。

原形＋ed(d) 例　住んでいる　live - lived
～にとどまる stay - stayed
原形の最後が e のときは、d だけをつけます

原形とちがうつづりになる

～を見る　see〔スィー〕- saw〔ソー〕
行く　go〔ゴーゥ〕- went〔ウェントゥッ〕
（～を）食べる　eat〔イートゥッ〕- ate〔エーイトゥッ〕

ここで使う単語

去年　last year〔レァスッチァァ〕

富士山　Mt.Fuji〔マーゥントゥッ フジ〕

きのう　yesterday〔いェスタデーィ〕

1個のリンゴ　an apple〔ァネァポー〕

track 49

1 I lived in Tamba-Sasayama last year.

2 I saw Mt. Fuji yesterday.

3 I went to Kyoto yesterday.

4 I ate an apple yesterday.

5日目

練習問題

次の日本語を英語で言ってみましょう。

（1）私はきのう丹波篠山をおとずれました。

～をおとずれた: visited〔ヴィズィッティドゥッ〕

（2）私はけさ早く起きた。

起きた: got up〔ガッタップ〕

早く: early〔ア～ゥリィ〕

（3）私はきのうの夜は遅くねました。

ねた ：went to bed〔ウェン・チュベッ・〕

きのうの夜: last night〔レァス・ナーィトゥッ〕 遅く: late〔レーィトゥッ〕

（1）I visited Tamba-Sasayama yesterday.

（2）I got up early this morning.

（3）I went to bed late last night.

ここをまちがえる！

スピードが速い、速くはfast〔ファスットゥッ〕

時間が早い、早くはearly

50 現在？過去？「おなかがすいた」のた

日本語の文が「た」で終わっていても、
現在のことをあらわしているときは、英語は現在形を使います。

下のフレーズを、英語で話してみましょう！

1 私はおなかがすいたよ。

2 私はのどがかわいたよ。

3 夕食の用意ができたよ。

4 私はあの先生の名前を忘れたよ。

ここが大切！

●日本語の文が「た」で終わっていても、「ている」という日本語で今の状態をあらわしているときがあります。
その場合は、be動詞の現在形または動詞の現在形を使います。

文のつくり方を覚えましょう

（1）おなかがすいた　＝　今、おなかがすいている状態である
私ですよ　（どんな状態）　おなかがすいている
→ I am　hungry.　現在形

（3）夕食の用意ができた　＝今、夕食の用意ができている
夕食ですよ　（どんな状態）　用意ができている
→ Dinner is　ready.　現在形

（4）私は忘れた　＝私は今、思い出せない状態である
私は思い出せない　（何を）　あの先生の名前
→ I forget　that teacher's name.　現在形

過去形で I forgot ではなく、I forget になっているのはなぜですか。

（答え）よい質問です。「今は」忘れている、言いかえれば「今は」思い出せないということなので I forget. を使っているのです。
I forgot. だったら、「そのとき」思い出せなかった（今は思い出せている）ということをあらわします。

track 50

1 I'm〔am〕hungry.

2 I'm〔am〕thirsty.

3 Dinner's〔is〕ready.

4 I forget that teacher's name.

5日目

練習問題

次の日本語を英語で言ってみましょう。

（1）あなたの旅行の準備はできましたか。

～の準備ができて: are ready for〔アー ゥレディ フォ〕

（2）あなたはわかりましたか。

（3）私はわかりました。

（1）Are you ready for your trip?

（2）Do you understand?

（3）I understand.

（2）と（3）の「わかりましたか。」と「わかりました。」は、「今はわかっていますか。」と「今はわかっています。」という意味なのです。
もし、I understood. というと、understood は understand の過去形なので、「私はもうすでにわかっていました。」という意味になります。

51 現在？過去？②「疲れた」のた

日本語の文が「た」で終わっていても、
現在のことをあらわしていると英語は現在形を使います。

下のフレーズを、英語で話してみましょう！

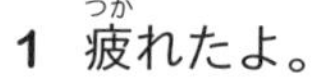

1 疲れたよ。

2 びっくりしたよ。

3 頭にきたよ。

4 頭痛はなおったよ。

ここが大切！

「た」で終わっている日本語を、別の日本語で言いかえてみると、現在のことであることがわかります。そのようなときは、現在形を使います。また日本語は主語を省略しがちなので、英語では補って言いましょう。

文のつくり方を覚えましょう

（1）疲れた　＝私は今、くたくたである
→　私ですよ　（どんな状態）　くたくたである
I'm〔am〕　tired.　現在形

（3）頭にきた　＝私は今、怒っている
→　私ですよ　（どんな状態）　怒っている
I'm〔am〕　angry.　現在形

（4）頭痛がなおった　＝私の頭痛は、今はもうない
→　私の頭痛ですよ　（どんな状態）　もうない
My headache is　gone.　現在形

ここで使う単語

くたくたである　tired　〔ターィァドゥッ〕

驚かされる　surprised　〔サァプゥラーィズドゥッ〕

怒っている　angry　〔エァングゥリィ〕

もうない　gone　〔ゴーンヌ〕

頭痛　headache　〔ヘデーィクッ〕

発音のコツ

次の単語は本当によくまちがいます。

go　〔ゴーゥ〕

gone　〔ゴーンヌ〕

track 51

1 I'm〔am〕tired.

2 I'm〔am〕surprised.

3 I'm〔am〕angry.

4 My headache is gone.

練習問題

次の日本語を英語で言ってみましょう。

（1）今は事情が変わりましたよ。

事情: things〔スィングズッ〕　ちがった different〔ディファァゥレントゥッ〕

（2）スープができましたよ。

スープ: soup〔スープッ〕　できて　on〔オーンヌ〕

（3）私たちの店ではバターが品切れになりました。

～がなくなって: out of ～〔アーゥタヴッ〕

（1）Things are different now.

（2）The soup is on.

（3）Our store is out of butter.

（1）事情がちがっている。　（2）スープができている。

（3）バターがなくなっている。のように考えてbe動詞の現在形を使います。

5日目

52 現在？過去？③「思い出した！」のた

**日本語の文が「た」で終わっていても、
現在のことをあらわしていると、英語は現在形を使います。**

下のフレーズを、英語で話してみましょう！

1 今思い出したよ。

2 私はわかったと思いますよ。

3 こまったことが起こったんですよ。

4 それですべてがわかったよ。

remember
understand
now

ここが大切！

●話をしている内容が今のことであれば、現在形であらわします。

（1）今思い出したよ＝（ずっと忘れていたけど）今、私は覚えている
→ 今、　私は思い出したんですよ。
Now　I remember.

（2）私は思いますよ　何を　私がわかっているということ
I think　(that) I understand.

（3）こまったことが起こった＝私は問題をかかえて〔もって〕いる
→私　もっています　何を　問題
I have　a problem.

（4）それでわかった　＝それが説明してくれる
→それが説明しています　何を　すべてのこと
That explains　everything.

ここで使う単語

思い出す remember〔ゥリメンバァ〕

わかっている understand〔アンダァステァンドゥッ〕

問題 problem〔プゥラブレムッ〕

～を説明する explain〔イクッスップレーィンヌ〕

すべてのこと everything〔エヴゥリィすィン・〕

track 52

1 Now I remember.

2 I think (that) I understand.

3 I have a problem.

4 That explains everything.

5日目

練習問題

次の日本語を英語で言ってみましょう。

(1) 私が負けました。〔あなたの勝ちです。〕　　勝つ: win〔ウィンヌ〕

(2) だいたいわかりました。〔私はだいたいわかりました。〕

だいたい: more or less〔モアァ オア レスッ〕

(3) 私はわかったよ。　それがわかる: have it〔ヘァヴィッ・〕

(1) You win.

(2) I understand more or less.

(3) I have it.

これだけは覚えましょう

「今、わかった」「思いついた」のようなことを言うときは、現在形で言うと覚えておきましょう。

例 あー、なるほど、わかりました、わかりました。 Oh, I see. I see.

(何度も何度も言わないで。) わかったよ、わかったよ。 I get it. I get it.

53 現在？過去？④ Hereから始める「さあ着いたよ。」のた

今、目の前の人に対して「ほら～でしょ」と話しかける Hereから始まる文は、現在形で話しましょう。

下のフレーズを、英語で話してみましょう！

1 さあ、着きましたよ。
(Weを主語にした場合)

2 さあ、着いたよ。
(Iを主語にした場合)

3 ほら、私たちの乗るバスが来たよ。

4 ほら、彼が来たよ。

ここが大切！

(a)We are here.のhereを強めた言い方が、Here we are.
(b)Our bus comes here. のhereを強めると、Here comes our bus.
これらのパターンは、日本語では「た」で話しますが、英語では現在形であらわします。

文のつくり方を覚えましょう

（1）さあここに (だれがいるの) 私たちがいる
Here we are.

（2）さあここに

私がいる
Here I am.

（3）ほらここに来るよ

私たちの乗るバス
Here comes our bus.

（4）ほらここに

彼が

来る
Here he comes.

「はい、これですよ。」と物をわたすときに、

「あなたにわたす」意味なら Here you are.
「物をわたす」意味なら Here it is.

ただし、わたすものが2つ以上あれば Here they are.
わたすものがはっきりしているときはHere is ～ .

例 Here is your change. （おつりですよ。）

track 53

1 Here we are.

2 Here I am.

3 Here comes our bus.

4 Here he comes.

練習問題

次の日本語を英語で言ってみましょう。

（1）さあ、大阪駅に着きましたよ。〔主語をWeにして〕～に: at〔アットゥ〕
（2）ほら、彼女が来ましたよ。
（3）ほら、私たちの乗るタクシーが来ましたよ。 タクシー: taxi〔テァクスィー〕

（1）Here we are at Osaka Station.
（2）Here she comes.
（3）Here comes our taxi.

発音のコツ Hereを強く言って強 弱 強のリズムにあわせて単語を並べます。
代名詞は弱く、名詞は強いと覚えておきましょう。
この考えに当てはめると、Here she comes .
強 弱 強
Here comes our taxi.
強 弱 強

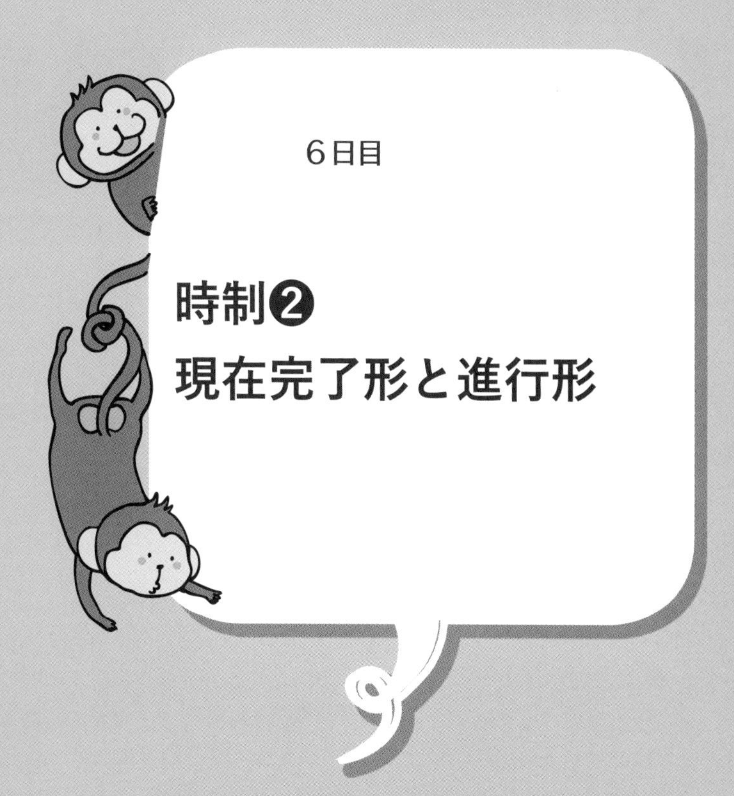

6日目

時制❷
現在完了形と進行形

54 「前からずっと～だよね。」を話す 現在完了形

過去の状態が現在まで続いていることを言うとき、have ＋過去分詞形であらわせます。

下のフレーズを、英語で話してみましょう！

1 私は今いそがしい。

2 私はきのういそがしかった。

3 私はきのうからいそがしくしています。

4 私の父はきのうからいそがしくしています。

ここが大切！ **be動詞の変化**

●過去の状態が現在まで続いているとき、have〔has〕＋**過去分詞形**であらわします。haveで「過去の状態をもっている」と考えましょう。

●be動詞には変化があり、原形（be）、現在形（is, am, are）、過去形（was, were）や過去分詞形（been）、現在分詞形（being）も使います。

文のつくり方を覚えましょう

（1）私です  いそがしい （いつ） 今
I am busy now.

（2）私でした  いそがしい （いつ） きのう
I was busy yesterday.

（3）私は過去の状態をもっている （どんな状態） いそがしい （いつから） きのう
I have been busy since yesterday.

（4）私の父は過去の状態をもっている  いそがしい 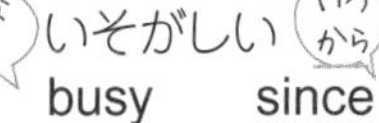 きのう
My father has been busy since yesterday.

I am busy now.
＋ I was busy yesterday.

I am　was　busy　now　yesterday.
↓　↓　↓
（答え）I have　been busy since　yesterday.
sinceは、～から今までという意味です

track 54

1 I am busy now.

2 I was busy yesterday.

3 I have been busy since yesterday.

4 My father has been busy since yesterday.

6日目

練習問題

次の日本語を英語で言ってみましょう。

（1）私は、丹波篠山（たんばささやま）に住んでいます。
（2）私は去年（きょねん）、丹波篠山に住んでいました。
（3）私は、去年から丹波篠山に住んでいます。

（1）I live in Tamba-Sasayama.
（2）I lived in Tamba-Sasayama last year.
（3）I have lived in Tamba-Sasayama since last year.

これだけは覚えましょう

	現在	過去	過去から現在
～にいます	am in	was in	have been in
～に住んでいます	live in	lived in	have lived in

55 「今までにしたことがある。」を話す現在完了形

have ＋過去分詞形の代わりに過去形を使っても、
同じ意味をあらわすことがあります。

下のフレーズを、英語で話してみましょう！

1 あなたは、今までに丹波篠山（たんばささやま）へ行ったことはありますか。
have を使って

2 あなたは、今までに丹波篠山へ
行ったことはありますか。 did を使って

3 私は、たった今着いたところです。

4 私は、たった今着いたところです。

ここが大切！

Have you ever ＋過去分詞形～？＝Did you ever ～？
I have just＋過去分詞形＝I just＋ 過去形

文のつくり方を覚えましょう

（1）あなたは今までにありますか（何をしたこと）行った（どこへ）丹波篠山
Have you ever been to Tamba-Sasayama?
（ever：今までに　been：過去分詞形）

（2）あなたは今までにありますか（何をした）行く（どこへ）丹波篠山
Did you ever go to Tamba-Sasayama?

（3）私はたった今したところをもっている（何をした）到着した
I have just arrived.

（4）私はたった今したところ（何をした）到着した
I just arrived.

これだけは覚えましょう

行ったことがある＝have been to＝have gone to〔アメリカ英語〕

（1）Have you ever been〔gone〕～?　（2）Did you ever go ～?のちがいは何かあるのですか。

（1）の英文は、今までの経験をたずねているときで、（2）の英文は過去の経験をたずねていると考えることができます。
ただし、アメリカ英語で、現在完了形（have ＋過去分詞形）の代わりに過去形を使うことがあるのも事実です。

track 55

1 Have you ever been to Tamba-Sasayama?

2 Did you ever go to Tamba-Sasayama?

3 I have just arrived.

4 I just arrived.

6日目

練習問題

次の日本語を英語で言ってみましょう。

（1）あなたは、今までにトラを見たことはありますか 。〔haveを使って〕

1ぴきのトラ ： a tiger〔ア ターィガァ〕

（2）あなたは今までにトラを見たことはありますか。〔didを使って〕

（3）私は、たった今仕事を終えたところです。

～を終えた ： finished〔フィニッシトゥッ〕

（1）Have you ever seen a tiger?
（2）Did you ever see a tiger?
（3）I (have) just finished my work.

（3）はhaveがあっても、なくても正しい英文です。

56 「もうすんだ？」「まだ終わらない？」をたずねる現在完了形

あることが完了したのかをたずねたいときに、
have ＋過去分詞形を使います。

下のフレーズを、英語で話してみましょう！

1　あなたは昼食をもうとりましたか。

2　私はまだ昼食をとっていません。

3　私はもうすでに昼食をとりました。

4　私はたった今昼食をとったところです。

ここが大切！　**あることをし終わった**

Have you　過去分詞形〜 yet?　もう〜しましたか。
I have not　過去分詞形〜 yet.　まだしていません。
I have already　過去分詞形〜.　もうすでにしました。
I have just　過去分詞形〜.　たった今〜したところです。

（1）あなたはしましたか（何をした）とった（何を）昼食（いつ）もう
Have you eaten lunch yet?

（2）私はしていません（何をしていない）とった（何を）昼食　まだ
I have not eaten lunch yet.

（3）私はもうすでにしました（何をした）とった（何を）昼食
I have already eaten lunch.

（4）私はたった今した（何をした）とった（何を）昼食
I have just eaten lunch.

「あなたはお昼ご飯はすんだ?」と終わったことを聞きたいのだったら、Did you eat lunch? でもよいのではないでしょうか?

Did you eat～?だと、いつ食べたのかはわかりません。たとえば医者が夜に病人に食べたかどうかを確認するのなら、それでいいでしょう。でも、もしあなたが相手に今「もう食べた?(すんでないなら、いっしょに食べよう)」とたずねるのなら、時間が今までつながっている感覚のある Have you eaten lunch yet? がよいのです。

track 56

1 Have you eaten lunch yet?

2 I haven't〔have not〕eaten lunch yet.

3 I have already eaten lunch.

4 I have just eaten lunch.

6日目

練習問題

次の日本語を英語で言ってみましょう。

(1) あなたはもうこの本を読みましたか。　　読む: read〔ゥレッドゥッ〕

(2) 私はまだこの本を読んでいません。

(3) 私はもうすでにこの本を読みました。

(1) Have you read this book yet?

(2) I haven't〔have not〕read this book yet.

(3) I have already read this book.

これだけは覚えましょう

私はもうこの本を読み終えました。

I have already finished reading this book.

57 「あのときのまま、、、」を話す現在完了形

何かが行(おこな)われて、その結果が今も同じ状態であるということをhave ＋過去分詞形であらわせます。

下のフレーズを、英語で話してみましょう！

1 私は、私の時計をうしなったままなんですよ。

2 直美さんは、アメリカへ行って今ここにはいない。

has gone to

now

3 トニーとジュディーは、大阪へひっこしたので、今はここにはいませんよ。

4 悟朗さんは、先生になって今も先生をしていますよ。

ここが大切！ **現在完了形であらわす「結果」**

●何かが行われて、その結果が今も同じ状態である「〜のままである」ことをhave ＋過去分詞形であらわせます。

文のつくり方を覚えましょう

（1）私は今ももっている　うしなった　何を　私の時計
I have　lost　my watch.

（2）直美さんは今ももっている　何をした　行った　どこへ　アメリカ
Naomi has　gone　to　America.
have gone to「行ったまま戻って来ない」

（3）トニーとジュディーは今ももっている　何をした　ひっこした　どこへ　大阪
Tony and Judy have　moved　to　Osaka.

（4）悟朗さんは今ももっている　何をした　なった　何に　先生
Goro has　become　a teacher.

ここをまちがえる！ gone toの使い方

私とあなたが話しているときは、I have gone to ～.で「～へ行ったことがある」の意味です。
私とあなた以外の第三者が主語のときは、●has gone to ～.で「●は～へ行ってしまってここにはいません」の意味になります。

track 57

1 I have lost my watch.

2 Naomi has gone to America.

3 Tony and Judy have moved to Osaka.

4 Goro has become a teacher.

練習問題

次の日本語を英語で言ってみましょう。

（1）私は大阪駅に到着して今いますよ。

～に到着した：arrived at〔アゥラーィヴッダッ・〕

（2）私は最近自転車を買って今ももっていますよ。

最近：recently〔ゥリーセン・リィ〕

（3）私は私の自転車をトニーにあげたので、今はもっていません。

あげるの過去分詞：given〔ギヴンヌ〕

（1）I have arrived at Osaka Station.
（2）I have bought a bike recently.
（3）I have given Tony my bike.
I have given my bike to Tony.

（3）give＋人＋物　または　give＋物＋to＋人のパターンであらわせます。

58 今と未来を話す現在進行形

be 動詞 ＋ 動詞の ing 形でつくる現在進行形には、2つの使い方があり、今と未来をあらわせます。

下のフレーズを、英語で話してみましょう！

1 あなたは（今）何をしていますか。

2 あなたは今夜は何をする予定ですか。

3 私は英語を勉強しているところです。

4 私は今夜は英語を勉強する予定です。

I am studying
now
tonight
I am studying

ここが大切！

●be動詞＋動詞のing形で、今のことと、近い未来のことをあらわすことができます。

●話を聞く立場ならば、今のことか未来のことかを話の流れによって、見きわめる必要があります。未来をあらわすことばを入れると、未来の予定をあらわしているとわかってもらえるでしょう。

（1）何を　＋あなたはしているのですか
What　are you doing?　今

（2）何を　＋あなたはする予定ですか　いつ　今夜
What　are you doing　tonight?　近い未来

（3）私は勉強しているところです　何を　英語
I am studying　English.　今

（4）私は勉強する予定です　何を　英語　いつ　今夜
I am studying　English　tonight.　近い未来

ここをまちがえる！ 動詞にingをつけるときの注意

●単語の最後の文字の前に、ア、イ、ウ、エ、オの音が1つあるとき、run - running〔のように、最後の文字を重ねて書いてingをつけます。

●単語の最後に発音しないeがあるとき、make- makingのようにeを消してingをつけます。

●studyのように最後が〔ィ〕になる単語にingをつけるときは〔~ィイング〕とせずに〔~ィイン・〕のように鼻から息をぬくように発音します。

track 58

1 What are you doing?

2 What are you doing tonight?

3 I am studying English.

4 I am studying English tonight.

6日目

練習問題

次の日本語を英語で言ってみましょう。

（1）私は出かけるところなんですよ。　出かける: go out〔ゴーゥ アーゥトゥッ〕

（2）私はきょうずっと家にいる予定です。

ずっと家にいる: stay home〔ステーィ ホーゥムッ〕

（3）あなたは（今は）どこに住んでいるのですか。

（1）I'm〔am〕going out.

（2）I'm〔am〕staying home today.

（3）Where are you living?

（3）あなたはどこに住んでいるのですか。〔一時的ではない場合〕
＝Where do you live?

発音のコツ

staying〔ステーィイン・〕・のところは発音しない方が英語らしく聞こえます。

59 「暗くなってきたね。」は今まさに進行している話

日本語が「～してきた」のようになっていても、過去形ではなく現在進行形であらわします。

下のフレーズを、英語で話してみましょう！

1 暗くなってきましたよ。

2 風が出てきましたよ。

3 雨が降り始めましたよ。

4 雨がやんできましたよ。

ここが大切！

●日本語の文に「～た」があれば、英語の文は過去形を使うと、前にお話ししましたが、過去形にしない方がよい場合もあります。
たとえば「～してきた」という文を英語にするときは「～してきている」と考え、現在進行形を使うとよいのです。

文のつくり方を覚えましょう

（1）空が～になってきているよ

暗い
It's getting dark.

（2）天候が～になってきているよ

風が強い
It's getting windy.

（3）天候が～し始めていますよ

雨が降ること
It's beginning to rain.

（4）雨ですよ

やんできている
The rain is letting up.

ここで使う単語

暗くなってきている　getting dark〔ゲティン・ダークッ〕
風が出てきている　getting windy〔ゲティン・ウィンディ〕
雨が降り始める　beginning to rain〔ビギニン・チュゥレーインヌ〕
やんでくる　letting up〔レティンガップッ／レティナップッ〕

track 59

1 It's〔is〕getting dark.

2 It's〔is〕getting windy.

3 It's〔is〕beginning to rain.

4 The rain is letting up.

5日目

練習問題

次の日本語を英語で言ってみましょう。

（1）夜が明けてきましたよ。　夜: day〔デーィ〕 明ける: break〔ブゥレーィクッ〕
（2）外が明るくなってきましたよ。
外: outside〔アーゥ·サーィドゥッ〕 明るくなる get light〔ゲッ・ラーィトゥッ〕
（3）風が強くなってきましたよ。
風: the wind〔ざ ウィンドゥッ〕 強くなる get up〔ゲタップッ〕

（1）Day is breaking.
（2）It's〔is〕getting light outside.
（3）The wind is getting up.

60 いつもとちがうね、と皮肉(ひにく)をチクリ。You are being+ 形容詞～ .

一般動詞が英文の中にないときは、be 動詞+ being +形容詞で現在進行形をあらわします。

下のフレーズを、英語で話してみましょう！

1 私の家は建築(けんちく)中です。

2 この部屋は使用中ですよ。

3 ご用はうけたまわっておりますか。

4 あなたは今日は（いつになく）親切だね。

●be 動詞＋being ＋過去分詞形 で､｢今～されています｣

be 動詞＋過去分詞形で「～される」をあらわします。

例 建てられる　　be built

build〔ビオドゥッ〕の過去分詞形。読みは〔ビオトゥッ〕

この英語を be 動詞＋～ ing に当てはめて現在進行形にします。

例 今建てられている　〔is,are〕being built

●be 動詞＋being ＋形容詞～ .で､｢～のようにふるまっている｣

You are＋形容詞ならば､｢あなたは～です」の意味ですが、進行形にすることで「今だけあなたは～です」つまりいつもはちがうという意味合いを込められます。

例 You are nice.　　あなたは親切ですね。

You are being nice today.　　あなたは今日は親切ですね。

（いつもはちがうけれど）

You are being nice today. のパターンで使えない形容詞はあるのですか。

自分の意志でコントロールできない意味の形容詞は、このパターンでは使えません。
たとえば背を高くしたり、低くしたりすることはできないので、tall は使えないのです。

track 60

1 My house is being built.

2 This room is being used.

3 Are you being helped?

4 You are being nice today.

6日目

練習問題

次の日本語を英語で言ってみましょう。

（1）あなたの家は建築中ですか。
（2）この部屋は使用中ですか。
（3）私は用は聞いてもらっています。

（1）Is your house being built?
（2）Is this room being used?
（3）I'm〔am〕being helped.

（3）Are you being helped? で「ご用はうけたまわっていますか。」なので、その質問に対する答えとして、I'm〔am〕being helped. と言うことができます。

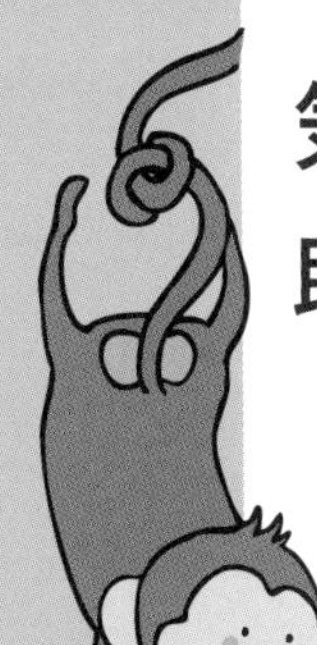

7日目

気持ちを伝える
助動詞・過去形

61 「これから～するつもりだ。」を話す

すでに決めていることは、I'm going to ～.
話の途中(とちゅう)に決めたことは、I will ～. を使って話します。

下のフレーズを、英語で話してみましょう！

1 私はあす大阪を出発するつもりです。

2 それでは、私はあす大阪を出発することにします。

3 私はあすトニーに会うつもりです。

4 それでは、私はあすトニーに会うことにします。

ここが大切！ 今はまだ起こっていない「未来」のことを話す

すでに決めていることは、I'm going to ～.
話の途中で決めたことは、I will ～.

（1）私はするつもりです （何をする）出発する （どこを）大阪 （いつ）あす
I'm going to leave Osaka tomorrow.

（2）それでは私はしますよ （何をする）出発する （どこを）大阪 （いつ）あす
Then I will leave Osaka tomorrow.

話の途中で決めたことであることがわかるようにThenを使っています。

発音 Then I will〔ゼナーィ ウィオ〕 それでは私は～しますよ

これだけは覚えましょう

the day before yesterday　today　the day after tomorrow

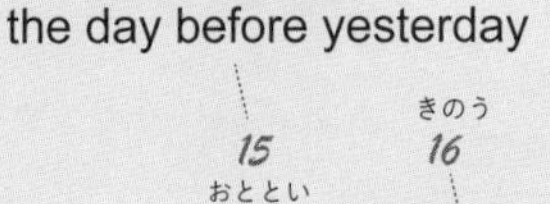
15 おととい　16 きのう

17 今日

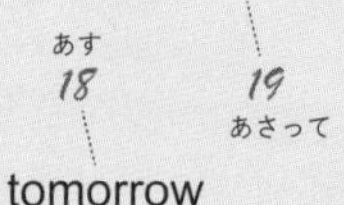
18 あす　19 あさって

yesterday　tomorrow

私が電話にでますよ。

× I'm going to answer the telephone.

○ I'll answer the telephone.

あらかじめ決めていたのではなく、今しがた鳴り始めた呼び出し音に「今」出ることを決めたから、I willのほうを使いましょう。

track 61

1 I'm〔am〕going to leave Osaka tomorrow.

2 Then I'll〔will〕leave Osaka tomorrow.

3 I'm〔am〕going to see Tony tomorrow.

4 Then I'll〔will〕see Tony tomorrow.

練習問題

次の日本語を英語で言ってみましょう。

（1）私はあす、熊本城を訪れるつもりです。

（2）それでは、私はあす松本城へ行きますよ。

（3）それでは、あさって私たちは姫路(ひめじ)城に集まりましょう。

あさって: the day after tomorrow〔ざ デーィ エァフタァ トゥモーゥローゥ〕

集まる: meet〔ミートゥッ〕

（1）I'm going to visit Kumamoto Castle tomorrow.

（2）Then I'll visit Matsumoto Castle tomorrow.

（3）Then let's meet at Himeji Castle the day after tomorrow.

see は、〜に会う　meetは、約束をして、集まる、出会う

例 また会ってくれる? Will I see you again?（デートの別れ際に相手に言う決まり文句）

例 あす会いましょう。Let's meet tomorrow. / Let's get together tomorrow.

7日目

62 未来にする「つもり」は「つもり」で終わるかも…

未来のことを話す場合でも、
完全にすることが決まっているときは現在形、
完全ではないときは、I'm ～ ing であらわすとよいでしょう。

下のフレーズを、英語で話してみましょう！

1　私はあす、大阪へ向かいます。

2　私はあす、大阪へ向かう予定です。

3　私はあす、大阪へ向かうつもりです。

4　それでは、私はあす大阪へ向かいますよ。

ここが大切！　**未来は確実でないから、ぼやかして言うこともある**

●まわりの事情で完全にすることが決まっているときは、**現在形**。
●自分が決めたけれど、計画が変わることもあるときは、I'm ～ ing 。

（1）私は向かいます　どこへ　大阪　あす
I leave for Osaka tomorrow.
商談があるとか結婚式があるとかまわりの事情で行かざるをえない

（2）私は向かう予定です　どこへ　大阪　あす
I'm leaving for Osaka tomorrow.
自分が決めたけれど、かぜをひいたとかいろいろな事情で変わることがあるかも

（3）私はつもりです　何をする　向かう　どこへ　大阪　あす
I'm going to leave for Osaka tomorrow.
前もって決めてあり、泊まるホテルの予約もしてあるとかで可能性が高い

（4）それでは私は向かいます　どこへ　大阪　あす
Then I will leave for Osaka tomorrow.
話をしている途中で決めたこと

ここが大切！　I'll〔アーィオ〕＝I will〔アーィ ウィオ〕

自分の意志（いし）の強さが弱ければ、I'll、
強ければ、I willを使うと相手に気持ちが通じます。
「かならずします」ならば、I shall〔アーィ シャオ〕

track 62

1 I leave for Osaka tomorrow.

2 I'm〔am〕leaving for Osaka tomorrow.

3 I'm〔am〕going to leave for Osaka tomorrow.

4 Then I'll〔will〕leave for Osaka tomorrow.

練習問題

次の日本語を英語で言ってみましょう。

（1）私たちはあす丹波篠山（たんばささやま）へ行きます。
（2）それでは、私はあす家にずっといますよ。
（3）私はあすずっと家にいるつもりです。

（1）We go to Tamba-Sasayama tomorrow.
（2）Then I'll〔will〕stay home tomorrow.
（3）I'm〔am〕going to stay home tomorrow.

これだけは覚えましょう

homeは、名詞と副詞の用法があります。

ずっと家にいる

(a) stay　at　home　名詞
ずっといる　に　家

(b) stay　home　副詞
ずっといる　家に

7日目

63 決められてるから「やるしかない」未来

I'm going to ～と I'm ～ ing は自分で決めたことを、
I'm to と I ＋現在形は、まわりの事情で決められたことを
言うときに使います。

下のフレーズを、英語で話してみましょう！

1　私はあす、京都へ行くつもりです。　am going to go to Kyoto

2　私はあす、京都へ行く予定です。　am going to Kyoto

3　私たちはあす、京都へ
修学旅行に行きます。　go to Kyoto

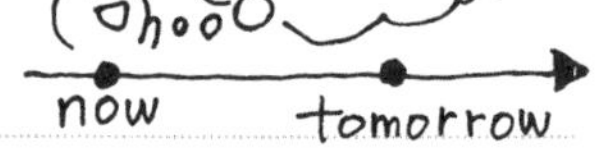

4　私たちは来年、京都へ修学旅行に行く予定です。　are to go

ここが大切！　「決められた」のか、やりたいのかも伝えられる

●未来の予定を自分で決めたときはI'm going to ～．またはI'm ～ ing .
●未来の予定を他の人が決めたときはI **＋現在形**．　または I am to～.

（2）私は行く予定です　（どこへ）京都　（いつ）あす
I'm going to Kyoto tomorrow.

（3）私たちは行きます　（何のために）修学旅行　（どこへ）京都　（いつ）あす
We go on a school trip to Kyoto tomorrow.
学校の行事として決められている（自分の意志ではない）ことをのべる

（4）私たちは行く予定です　（何のために）修学旅行　（どこへ）京都　（いつ）来年
We're〔are〕to go on a school trip to Kyoto next year.
学校の行事として決められている（自分の意志ではない）ことをのべる

●自分の「～したい」気持ちがもっともよく伝わるのはI'm going to ～.
または I'm ～ ing．だと言えます。

未来の予定を他人が決めるときは、I ＋現在形～. またはI am to ～. と書いていますが、アメリカ人が皆、そのルールで話しているとは言い切れません。
「そのようなことが多い」という意味です。

track 63

1 I'm〔am〕going to go to Kyoto tomorrow.

2 I'm〔am〕going to Kyoto tomorrow.

3 We go on a school trip to Kyoto tomorrow.

4 We're〔are〕to go on a school trip to Kyoto next year.

練習問題

次の日本語を英語で言ってみましょう。

（1）私はあすつりに行くつもりです。

つりに行く: go fishing〔ゴーゥ フイッシン・〕

（2）私たちはあす富士山に登ります。〔現在形〕

～に登る: climb〔クラーィムッ〕

（3）私たちは来週の日曜日に富士山に登る予定です。〔be＋to〕

富士山：Mt.Fuji〔マーゥントゥッ フジ〕

（1）I'm〔am〕going to go fishing tomorrow.
（2）We climb Mt.Fuji tomorrow.
（3）We are to climb Mt.Fuji next Sunday.

ここをまちがえる！

(a) 川でつりをしに行く　go fishing in the river　※ in = ～の中で
(b) つりをするためにその川へ行く　go to the river to fish　※ to ＝～へ

7日目

64 いろいろな助動詞で気持ちを伝える

May I ～?（～してもよいのですか。）に対する答え方は、
気持ちに合わせて4種類あります。

下のフレーズを、英語で話してみましょう！

1 「入っても、かまいませんか。」「だめ。」

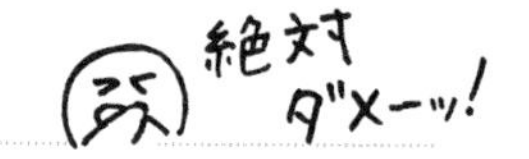

2 「入っても、かまいませんか。」「だめですよ。」

3 「入っても、かまいませんか。」「だめなんですよ。」

4 「入っても、かまいませんか。」
「ごめんなさい。だめなんですよ。」

ここが大切！ 助動詞＋notを使うことで､「断り」の気持ちを伝える

● may（～してよい）、must（～しなければならない）、can（～できる）などの助動詞を、伝えたい気持ちに合わせて選びましょう。

● May I ～?（～してもよいのですか。）に対する答え方は次のように、きつい断り方からおだやかな言い方まであります。

（1）No, you mustn't. 〔マスッントゥッ〕 「だめ。」
must＝～しなければならない →must notで一番強い禁止の意味

（2）No, you may not. 「だめですよ。」
may＝～してよい →may notで「許可が与えられない」という意味

（3）No, you can't. 「だめなんですよ。」
can＝～できる →can notで「禁じられている・許されていない」の意味

（4）I'm sorry you can't. 「ごめんなさい。だめなんですよ。」
Noと言うところをI'm sorry「残念ですが」と遠回しにことわっている

これだけは覚えましょう

●目上の人が許しを与えるときは、
「はい、よろしいですよ。」 “Yes, you may.”
●同じぐらいの立場の人同士がお互いに許しを与えるときは、
「はい、いいですよ。」 “Yes, you can.”

track 64

1 “May I come in?” “No, you mustn't.

2 “May I come in?” “No, you may not.”

3 “May I come in?” “No, you can't.”

4 “May I come in?” “I'm sorry you can't.”

練習問題

次の日本語を英語で言ってみましょう。

(1)「そのまどを開けてもよろしいですか。」 「だめですよ。」
(2)「そのまどを閉めてもかまいませんか。」 「だめなんですよ。」
(3)「ここにすわってもよろしいですか。」
「ごめんなさい。だめなんですよ。」

(1)“May I open the window?” “No, you may not.”
(2)“May I shut the window?” “No, you can't.”
(3)“May I sit here?” “I'm sorry you can't.”

65 「～した方がよい」と提案する

相手に何かを提案（ていあん）するとき、
had better 、I think you should、You might〔could〕
の順にていねいになります。

下のフレーズを、英語で話してみましょう！

1 君はもっと熱心に勉強した方がよいよ。
さもないと、後でこまるよ。

you had better

2 タクシーに乗った方がよいと私は思いますよ。

I think you should

3 電車にお乗りになったらいかがですか。

you might

4 地下鉄にお乗りになったらいかがですか。

you could

ここが大切！ 助動詞を使って提案の強さをあらわすことができます

● You'd〔had〕better …「～した方がよいよ、そうしないと、後でこまることになるよ」という半分おどし

（1）君は～した方がよいよ（そうしないと後でこまることになるよ）（何をする）勉強する もっと熱心に
You'd better study harder.

● I think you should…「私はあなたが～するべき〔～した方がよい〕と思いますよ」

（2）私は思いますよ あなたはした方がよい（何をする）乗る タクシーに
I think you should take a taxi.

※You should～「あなたは～すべきだ」と言い切らずに、I think（私は思いますよ）と先に言うことでていねいな言い方になります。

● You might〔could〕…「～されたらどうですか」

※mightはmayの過去形、couldはcanの過去形で言い方がていねいになります。

ここをまちがえる！

had betterを否定するときにまちがえやすいので注意しましょう。

例 私たちは今出発しない方がよい。

× We had not better leave now.

○ We had better not leave now.

例 今出発しない方がよいのではないですか。

Hadn't you better leave now?

track 65

1 You'd better study harder.

2 I think you should take a taxi.

3 You might take a train.

4 You could take the subway.

練習問題

次の日本語を英語で言ってみましょう。

（1）今日は、ずっと家にいる方がよいよ。そうじゃないと後でこまるよ。

（2）私は、今日はずっと家にいた方がよいと思いますよ。

（3）今日は、ずっと家にいらっしゃったらいかがですか。

（1）You'd〔had〕 better stay home today.

（2）I think you should stay home today.

（3）You might〔could〕stay home today.

これだけは覚えましょう

ほかにYou must（<理屈（りくつ）ぬきで>～しなくてはいけませんね）、You have to（<仕方ないから>～しなくてはいけませんね）などでも強く提案できます。

7日目

66 「～かもしれないなあ。」と話す

「こうかもしれない」と思うことを話したいとき、助動詞を使います。
助動詞の次に have ＋過去分詞形をおくと、
過去における何かの可能性(かのうせい)をあらわせます。

下のフレーズを、英語で話してみましょう！

1 トニーは疲(つか)れていたにちがいない。

2 トニーは疲れていたでしょう。

3 トニーは疲れていたかもしれない。

4 トニーは疲れていたはずがない。

ここが大切！

助動詞を使って「こうかな」と思うことを伝える

● Tony was tired. と言い切るのをさけて、「～にちがいない」などと思うことや意見を話すときに、助動詞を使います。
「～だったにちがいない」と過去のことを話すときは、助動詞＋have＋過去分詞形にします。

●「こうかな」と確信できる強さによって助動詞を使い分けましょう。

〔疲れている　tired 〕	〔疲れて　tired 〕
にちがいない　must be	**いたにちがいない**　must have been
でしょう　will be	**いたでしょう**　will have been
かもしれない　may be	**いたかもしれない**　may have been
はずがない　can't be	**いたはずがない**　can't have been

英語では、ふつう、助動詞（must,will,may など）を強く言いませんが、可能性をあらわしているときは、強く言います。

track 66

1 Tony must have been tired.

2 Tony will have been tired.

3 Tony may have been tired.

4 Tony can't have been tired.

練習問題

次の日本語を英語で言ってみましょう。

（1）直美さんは、丹波篠山（たんばささやま）へ行ったにちがいない。

行った: gone〔ゴーンヌ〕

（2）直美さんは、バスに乗ったはずがない。

バスに乗った: taken a bus〔テーィクナバスッ〕

（3）直美さんは、タクシーで行ったかもしれない。

タクシーで: by taxi〔バーィ テァクスィ〕

（1）Naomi must have gone to Tamba-Sasayama.
（2）Naomi can't have taken a bus.
（3）Naomi may have gone by taxi.

67 文はそのままで「本当ですよ！」と強調する

会話の中で相手が言ったまちがいを正したいときや、
誤解(ごかい)されていると感じるときなどに、
助動詞のはたらきをする部分を強く言うことで
「本当なんですよ」と強く訴(うった)えることができます。

下のフレーズを、英語で話してみましょう！

1 私は忙(いそが)しいんですよ。本当ですよ。

2 私は英語が話せるんですよ。本当ですよ。

I CAN speak
フーン

3 私はトラを見たことがあるんですよ。本当ですよ。

4 この薬はよく効(き)くんですよ。本当ですよ。

ここが大切！

●助動詞のはたらきをする単語を強く読むと「本当に～だ」、または「～するのは本当ですよ」のような意味をあらわせます。

（1）I am busy.　私は忙しいです。
　→I AM busy.　私は忙しいんですよ。本当ですよ！

（2）I can speak English.　私は英語を話せます。
　→I CAN speak English.　私は本当に英語を話せますよ！
　話の流れで「英語が話せないんじゃない?」と疑(うたが)われたようなときに

（3）I have seen a tiger.　私はトラを見たことがあります。
　→I HAVE seen a tiger.　私は本当にトラを見たことがあるんです！

（4）This medicine works well.　この薬はよく効きます。
　→This medicine DOES work well.
　この薬は本当によく効くんです！

発音のコツ

can の発音の仕方に注意してください。
助動詞は、ふつう弱く発音します。→弱く発音するときは〔ケンヌ〕
強調の助動詞は、強く発音します。→強く発音するときは〔キャンヌ〕

I can speak. / I CAN speak / Yes, I can.
〔ケン〕 〔キャン〕 〔キャンヌ〕

track 67

1 I AM busy.

2 I CAN speak English.

3 I HAVE seen a tiger.

4 This medicine DOES work well.

練習問題

次の日本語を英語で言ってみましょう。

（1）このからしは、本当によく効きますよ！からし: mustard〔マスッタァドゥッ〕
（2）直美さんがあなたにほほえんでいますよ。本当ですよ！
～にほほえんでいる: smiling at〔スマーィリン・アッ・〕
（3）私は、UFOを見たことがあるんですよ。本当ですよ！
1機のUFO：a UFO〔ア ユーエフ オーゥ〕

（1）This mustard DOES〔does〕work well.
（2）Naomi IS smiling at you.
（3）I HAVE seen a UFO.

(3) 英語の単語の最後を強く言うと、英語らしく聞こえます（OKならKを強く）。
これをUFOにあてはめると、Oが強くなります。
英語では、強弱強のようなリズムがあるので、Oが強くなるということは、Fを弱く、Uを強く読めばよいことがわかります。

7日目

68 「〜してくれないかな。」と最後を下げて言うと命令になる

形の上ではていねいに「〜してくれないかな」と言いつつ本心は「やってよね」と強制(きょうせい)したいときや「〜じゃない？」と言いつつ疑(うたが)ってかかっているようなときは疑問文の最後を下げて言うと、相手に伝わります。

下のフレーズを、英語で話してみましょう！

1 そのまどを開けてもらえますか。

2 そのまどを開けてよ。

3 あなたは泳げますか。

4 あなたは泳げないと思うんだけど、本当に泳げるのですか。

ここが大切！

●日本語でも、「〜してくれるよね？」とふつうにたずねるときは文の最後を上げて話しますが、「〜してくれるよね（まさかあなた、やらないなんて言わないよね…）。」と半分おどしのように言うとき、最後を下げますよね。

●同じように、英語の疑問文は、最後を上げて言うのがふつうですが、下げて発音すると、**命令文**に近くなったり、**疑(うたが)いを持っているとほのめかし**たりできます。

これだけは覚えましょう

Will you 〜？（↗）　〔〜してもらえますか。〕
Will you 〜？（↘）　〔〜してよ。〕
Can you 〜？（↗）　〔〜できますか。〕
Can you 〜？（↘）　〔できないと思いますが、本当にできるのですか。〕

発音のコツ

文の最初のWillやCan を強く発音すると、最後が自然と下がります。
音声で確認してみましょう。

track 68

1 Will you open the window? 〔↗〕

2 WILL〔Will〕you open the window? 〔↘〕

3 Can you swim? 〔↗〕

4 CAN〔Can〕you swim? 〔↘〕

練習問題

次の日本語を英語で言ってみましょう。

（1）あなたは今日学校へ行きましたか。
（2）あなたは今日学校へ行きましたか。行かなかったんじゃないの。
（3）手伝ってもらえますか。

（1）Did you go to school today?（↗）
（2）DID〔Did〕you go to school today?（↘）
（3）Will you help me?（↗）

（2）はDID を強く発音することで、最後が自然に下がります。

7日目

69 ていねいな気持ちを伝える過去形

ていねいに言いたいときや、
ひかえめに言いたいときは、過去形を使うとよいでしょう。

1　私を手伝ってくれますか。

2　私を手伝ってくださいますか。

3　私はそう思います。

4　私はそう思うのですが。

ここが大切！

●助動詞の過去形や、動詞の過去形を使うと、**ていねい**な言い方や、**ひかえめ**な表現になります。

文のつくり方を覚えましょう

（1）あなたはしてくれますか　何をする　手伝う　だれを　私を
Can you　help　me?

（2）あなたはしてくださいますか　何をする　手伝う　だれを　私を
Could you　help　me?

（3）私は思います　どう思う　そう
I think　so.

（4）私は思うのですが　どう思う　そう
I thought　so.

I thought so. をそのまま日本語にすると「私はそう思ったんですよ」になります。日本語でも「そう思う」と言い切るよりひかえめな表現ですね。

これだけは覚えましょう

Shall〔Should〕I ～？　～しましょうか
May I ～？　～してもよろしいですか
Can I ～？　～してもいいですか
Will you ～？　～してもらえますか
Can you ～？　～してもらえますか
Would〔Could〕you ～？　～していただけますか

track 69

1 Can you help me?

2 Could you help me?

3 I think so.

4 I thought so.

練習問題

次の日本語を英語で言ってみましょう。

（1）そのまどを開けてくれる。　→ willを使って
（2）そのまどを開けていただけますか。　→ would〔ウッドゥッ〕を使って
（3）私はたぶん、そうだと思うのですが。

たぶん: wouldまたは、should〔シュッドゥッ〕

（1）Will you open the window?
（2）Would you open the window?
（3）I would〔should〕think so.

これだけは覚えましょう

私はそう思いません。

I don't think so.　〔話しことば〕
I think not.　〔正式な言い方〕
I think otherwise.　〔正式な言い方〕

ちがったふうに　otherwise〔アザァワーィズッ〕

7日目

70 はっきりわからないときの過去形

「こうじゃないかな…」「いやちがうかな…」と
自分でもはっきりしないときは、助動詞を使いましょう。
過去形にすると、もっとぼやかして伝えることができます。

下のフレーズを、英語で話してみましょう！

1 これはダイアモンドでしょう。

2 たぶんこれはダイアモンドでしょう。

3 これはダイアモンドかもしれない。

4 もしかしたら、これはダイアモンドかもしれない。

ここが大切！

●はっきりわからないときに使う助動詞にwill、may、canなどがあります。willよりもwillの過去形would、mayよりもmayの過去形might、canよりもcouldの方が、話し手の確信度が低いことを伝えられます。

This is a diamond.	これはダイヤモンドです。	100% 確信
This must be a diamond.	これはダイヤモンドにちがいない。	
This will be a diamond.	これはダイヤモンドでしょう。	
This would be a diamond.	たぶんこれはダイヤモンドだろう。	
This may be a diamond.	これはダイヤモンドかもしれない。	50%
This might be a diamond.	もしかしたらダイヤモンドかもしれない。	
This can't be a diamond.	これがダイヤモンドのはずがない。	
This isn't be a diamond.	これはダイヤモンドではありません。	0%確信

mayは「50％の確率で起こるかもしれないと考えている」ときに使います。
「～かもしれないけれど、そうでないかもしれない」と自信がない気持ちを伝えられます。

track 70

1 This will be a diamond.

2 This would be a diamond.

3 This may be a diamond.

4 This might be a diamond.

練習問題

次の日本語を英語で言ってみましょう。

（1）これは私のかばんでしょう。
（2）たぶん、これは私のかばんでしょう。
（3）もしかしたら、これは私のかばんかもしれない。

（1）This will be my bag.
（2）This would be my bag.
（3）This might be my bag.

これだけは覚えましょう

これは私のかばんにちがいない。	This must be my bag.
これは私のかばんではないかもしれない。	This may not be my bag.
これは私のかばんではないでしょう。	This won't〔will not〕be my bag.
これは私のかばんのはずがない。	This can't〔can not〕be my bag.

7日目

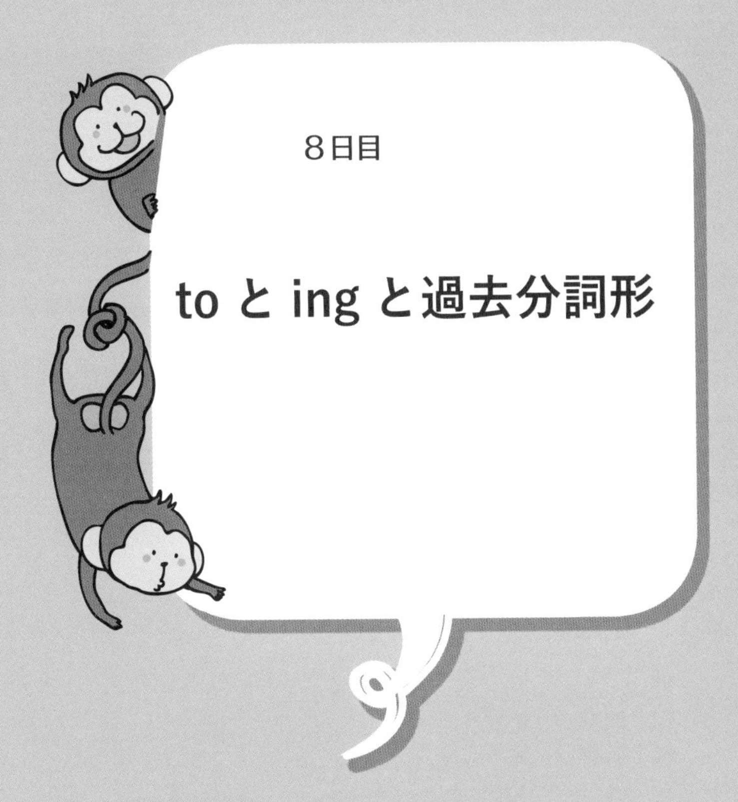

8日目

to と ing と過去分詞形

71 「～することが好きだ。」を語る

楽しむのは好きだから、好きだから趣味(しゅみ)になる。
そんな「好きなこと」を伝える言い方を学びましょう。

下のフレーズを、英語で話してみましょう！

1 私は泳ぐのが好きです。

to swim

2 私は泳ぐのが好きです。

swimming

3 私はとても泳ぐのが好きです。

fond of swimming

4 私の趣味(しゅみ)は泳ぐことです。

my hobby

ここが大切！ 「～すること」を 動詞のing形とto+動詞であらわす

●「好きなことは何ですか?」とたずねられたら、「こと」や名詞で答えなければなりません。

●「泳ぐ」「切手を集める」といった動詞で答えたければ、ingやtoを使って「泳ぐこと」「切手を集めること」として答えましょう。

これだけは覚えましょう

～をするのが好きです	like ～ ing または like to ～
～をするのがとても好きです	be fond of ～ ing
私の趣味は～です。	My hobby is ～ ing .

ここをまちがえる！

hobby は、努力が必要な実際の活動をさします。

○ collecting stamps（切手収集）、gardening（ガーデニング）

× ゲームすること、YouTubeを見ること

to swim と swimming はいつでも言いかえられますか。

（答え）2つのパターンがあります。

(a) of のような前置詞の次には～ ing しか使えません。

例 I'm fond of swimming.

(b) 今までにしていて、今もしているものも～ ing を使うことがふつうです。

例 My hobby is swimming.

track 71

1 I like to swim.

2 I like swimming.

3 I am fond of swimming.

4 My hobby is swimming.

練習問題

次の日本語を英語で言ってみましょう。

（1）私は散歩(さんぽ)をするのが好きです。　　散歩をする: walk〔ウォークッ〕

(a)

(b)

（2）私の趣味はバードウォッチングをすることです。

8日目

（1）(a) I like to walk.

(b) I like walking.

（2）My hobby is bird-watching.

（1）(a)(b) like は、to ＋動詞または動詞の ing 形をとることがあります。

（2）hobby は、すでにしていて、今もしていることなので、動詞の ing 形がぴったりなのです。

72 動詞の ing 形と to+ 動詞の原形

～することは、to ＋動詞の原形　または動詞の ing 形であらわせます。
どちらを使うとよいかを知って、
場面によって使い分けましょう。

下のフレーズを、英語で話してみましょう！

1　私の夢は教師になることです。

2　絵の具で絵をかくことが私の趣味です。

3　私は散歩をするのを楽しんでいます。

4　私は酒を飲むのをやめました。

ここが大切！

●～すること＝to ＋動詞の原形＝動詞の ing 形という２種類の表現について、中学英語では同じ意味だと習いますが、使い分けがあります。整理して覚えておきましょう。

enjoy のように動詞の ing 形しか後に続けられない動詞もあります

動詞の ing 形を使うとよい

・過去から現在までのことをあらわしたいとき
・前置詞の後などで to＋動詞の原形が使えないとき

例 Painting is my hobby .　趣味はこれまでもこれからも続くものだから

例 I stopped drinking.　「これまでお酒を飲んでいた」のをやめる

to ＋動詞の原形を使うとよい

・未来のことをあらわしているとき

例 My dream is to be a teacher.　「将来」先生になる

「歌を歌うこと」「本を読むこと」が好きだと言いたくても、

△ singing songs　　○ singing
△ reading books　　○ reading

のように、songs や books を言う必要はありません。

track 72

1 My dream is to be a teacher.

2 Painting is my hobby.

3 I enjoy walking.

4 I stopped drinking.

練習問題

次の日本語を英語で言ってみましょう。

（1）私の夢は音楽の教師になることです。
（2）料理をすることが私の趣味です。
（3）私は歌うのを楽しんでいます。〔のが好きです〕

（1）My dream is to be〔become〕a music teacher.
（2）Cooking is my hobby.
（3）I enjoy singing.

to be と to become のちがいは何かありますか。

become の方は「なる」ということを言いたいときに、be の方は「なってずっとそのままの状態を続ける」ということを言いたいときに使いましょう。

8日目

73 忘れないで＝覚えていて

過去のことをあらわしているときは〜 ing 、
未来のことをあらわしているときは to 〜

下のフレーズを、英語で話してみましょう！

1　かならずその戸のかぎをかけてね。

2　その戸にかぎをかけるのを忘れないでね。

remember

don't forget

3　私は丹波篠山(たんばささやま)を訪(おとず)れたことを覚えています。

4　私は篠山城を訪れたことを決して忘れませんよ。

ここが大切！　未来に向かうto、過去をふりかえるing

●どちらも「〜すること」の意味をあらわすto＋動詞の原形と動詞のing形ですが、未来のことをあらわしたいならto＋動詞の原形、過去のことをあらわしたいなら動詞のing形を使うと、まちがいがありません。

未来	remember to 〜	かならず〜する ＝〜することを忘れない、覚えている
	forget to 〜	〜することを忘れる
過去	remember 〜 ing	〜したことを覚えている
	forget 〜 ing	〜したことを忘れる

これだけは覚えましょう

忘れずに〜する＝かならず〜する
don't forget to ＝remember to ＝be sure to

I'll never forget と I will not forget では何か意味がちがうのですか?

I will not forget でもまちがいではありませんが、not を強調したものが never なので、never forget で「今だけでなくこれからもずっと忘れないよ」という強い気持ちを示すことができるのです。

track 73

1 Remember to lock the door.

2 Don't forget to lock the door.

3 I remember visiting Tamba-Sasayama.

4 I'll never forget visiting Sasayama Castle.

練習問題

次の日本語を英語で言ってみましょう。

(1) あすかならず私に電話をしてね。

(2) あす忘れずに私に電話をしてね。

(3) 私はここであなたに出会ったことを決して忘れませんよ。

出会う: see〔スィー〕

(1) Remember to call me tomorrow.

(2) Don't forget to call me tomorrow.

(3) I'll never forget seeing you here.

(2) は don't forget to ＝remember to ＝be sure to なので、どれで話してもよいのです。

8日目

74 want to ＋ 動詞で「～したい」をあらわす

相手にしてもらいたいことを伝えるときは
時と場合、相手との関係を考えて
want to、'd like to、hope to、wish to を使い分けましょう。

下のフレーズを、英語で話してみましょう！

1 あなたと話したい。

I want to

2 あなたと話をさせていただきたいのですが。

I'd like to

3 あなたと話すことを希望しています。

I hope to

4 できればあなたと話をさせていただきたいと思っているのですが。

I wish to

ここが大切！ want to ＋動詞を使って希望を伝える

●want to＋動詞で「～したい」という気持ちをあらわせます。相手と場面によって、いろいろな伝え方を使い分けましょう。

これだけは覚えましょう

want to	～したい
'd like to	～したいのですが
hope to	～することを希望しています
wish to	できれば～したいと思っているのですが

ここが大切！

want to のていねいな言い方が、'd like toです。
wish to は、書きことばで使うことが多い表現です。

発音のコツ

want to〔ワントゥッ トゥ〕→〔ワン・トゥ〕

・のしるしのところで、息（いき）をとめてトゥと言いましょう。
アメリカ人は自然な会話では、〔ワナ〕と発音します。

track 74

1 I want to talk with you.

2 I'd like to talk with you.

3 I hope to talk with you.

4 I wish to talk with you.

練習問題

次の日本語を英語で言ってみましょう。

（1）私は医者になりたい。　医者: doctor〔ダクッタァ〕

（2）私はホームヘルパー〔介護者（かいごしゃ）〕になることを希望しています。
　ホームヘルパー: caregiver〔ケアァギヴァァ〕

（3）私は看護師になりたいのですが。　看護師: nurse〔ナ～スッ〕

（1）I want to be a doctor.
（2）I hope to be a caregiver.
（3）I'd like to be a nurse.

(1)(2) want to とhope to は、～したい
(3) 'd like toは、～したいのですが、のようなていねいな言い方

8日目

75 「泳ぎ方を知りたい」で使える 疑問詞 ＋to＋ 動詞の原形

**「どのように～すべきか」「どこで～すべきか」を聞きたい
もしくは話したいとき、
疑問詞＋ to ＋動詞の原形で伝えられます。**

下のフレーズを、英語で話してみましょう！

1 私は泳ぎたくない。

2 私は泳ぎ方を知らないんですよ。

3 私はどこで泳げばよいのかわからないんですよ。

4 私は何と言ったらよいのかわからないんですよ。

ここが大切！

●疑問詞＋ to ＋動詞の原形で、名詞のはたらきをします。

how to swim	どのように泳ぐべきかということ＝泳ぎ方
where to swim	どこで泳ぐべきかということ
what to say	何を言うべきかということ

（1）私はほしくない　（何を）　泳ぐこと
I don't want　to swim.

（2）私は知らない　（何を）　どのように泳ぐべきかということ
I don't know　how to swim.

（3）私はわからない　（何が）　どこで泳ぐべきかということ
I don't know　where to swim.

（4）私はわからない　（何が）　何を言うべきかということ
I don't know　what to say.

例 I don't want 　　　　　　to swim .

私はほしくない （何が） 泳ぐこと＝私は泳ぎたくない。

〈何が〉という疑問が生まれた答えとして、to＋動詞の原形の部分が名詞のはたらきをしているので、to不定詞の名詞的用法と考えることができます。

track 75

1 I don't want to swim.

2 I don't know how to swim.

3 I don't know where to swim.

4 I don't know what to say.

練習問題

次の日本語を英語で言ってみましょう。

（1）私は今日は家にずっといたい。

（2）私は速く泳ぐ方法を知りたい。

（3）私は何をすればよいのかわからないんですよ。

（1）I want to stay home today.

（2）I want to know how to swim fast.

（3）I don't know what to do.

英語はことばのキャッチボールなので、次のように考えて日本語を英語にしてください。

例 私は速く泳ぐ方法を知りたい。

私は知りたい （何を） 泳ぐ方法  速く

I want to know 　how to swim 　fast.

8日目

76 「私には難しすぎる」と訴える

「～しすぎて無理」という嘆きは
too ～ for me to ＋動詞や
so ～ that I can't+ 動詞　で伝えられます。

下のフレーズを、英語で話してみましょう！

1 この本は私にとって読むのが難しい。

this book is hard

お手上げ

2 私にとってこの本を読むことは難しい。

it's hard

3 この本はあまりにも難しすぎて私にとって読むことはできない。

too hard for me

4 この本はとても難しいので、私はそれを読むことはできません。

so hard that I can't

●「～しすぎて○○できない」と訴えるときは、「私」などの「人」ではなく「物」や「こと」を主語にしましょう。

文のつくり方を覚えましょう

（1）この本は難しい　（だれにとって）私にとって　（何をするのが）読むこと
This book is hard　for me　to read.

（2）それは難しい　（だれにとって）私にとって　（それって何をすること）この本を読むこと
It's hard　for me　to read this book.

（3）この本は難しすぎて無理　（だれにとって）私にとって　（何をするのが）読むこと
This book is too hard　for me　to read.

too ～ to の too には「～しすぎて○○できない」という意味があります。

（4）この本はとても難しい　それで　私はそれを読めない
This book is so hard　that　I can't read it.

so で言いかえるときは、that+主語+否定文にします。that という接続詞を使うとき、that の次には完全な英文がこなければいけないので、「何を読むことができないのか」をはっきりさせる it も忘れず入れましょう。

例 この人形はこわれやすい。

× This doll is easy to break.

＝To break 　何を　 this doll 　is easy .
こわすこと　この人形　かんたんです

日本文と意味がちがうので、この英文はまちがっていることがわかります。

○ This doll breaks 　easily.
この人形はこわれる　かんたんに

track 76

1 This book is hard for me to read.

2 It's〔is〕hard for me to read this book.

3 This book is too hard for me to read.

4 This book is so hard that I can't read it.

練習問題

次の日本語を英語で言ってみましょう。

（1）私は忙(いそが)しすぎてテレビを見ることができません。

（2）私はとても忙しいので、私はテレビを見ることができません。

（3）この本は私にとっては読みやすい。

～しやすい＝かんたんな: easy〔イーズィ〕

（1）I'm〔am〕too busy to watch TV〔television〕.

（2）I'm〔am〕so busy that I can't watch TV〔television〕.

（3）This book is easy for me to read.

（1）be動詞の前の主語とwatch の主語が同じなので、for meを入れる必要はありません。

8日目

77 to+ 動詞の原形で説明を加える

理由、目的、根拠(こんきょ)、結果を文につけ加えたいとき、
to 不定詞を使ってあらわすことができます。

下のフレーズを、英語で話してみましょう！

1 私はあなたにはじめて会えてうれしいですよ。

2 私はあなたに会うためにここに来ました。

3 この問題を解けるとは、あなたは頭がよいにちがいない。

4 トニーさんは９０才まで生きた。

ここが大切！

●完全な英文にto+動詞の原形をつけて、いろいろな説明を加えることができます。

完全な英文+
- なぜ　to meet you（君に会えて）
- 何のために　to meet you（君に会うために）
- 根拠(こんきょ)は　to work out this problem（この問題を解(と)くとは）
- 結果　to be ninety（その結果９０才まで）

●ここで紹介しているtoの使い方は、完全な英文+つけ加えのことばとなっていることから、to不定詞の副詞的用法と考えることができます。

ここで使う単語

～に会う　meet〔ミートゥッ〕

頭がよい　smart〔スマートゥッ〕

ちがいない　must〔マスットゥッ〕

～を解く　work out〔ワ～カーゥトゥッ〕

問題　problem〔プゥラブレムッ〕

track 77

1 I'm〔am〕happy to meet you.

2 I came here to meet you.

3 You must be smart to work out this problem.

4 Tony lived to be ninety.

練習問題

次の日本語を英語で言ってみましょう。

（1）私はそのニュースを聞いておどろいています。

おどろいて：surprised〔サァプゥラーィズッドゥッ〕

（2）私はこの本を買うためにここへ来ました。

（3）司法試験に受かることができるとは、あなたは頭がよいにちがいない。

司法試験：the bar exam〔ざ バー イグゼァムッ〕

（1）I'm〔am〕surprised to hear the news.

（2）I came here to buy this book.

（3）You must be smart to pass the bar exam.

発音のコツ

ニュース　news　○〔ニューズッ〕または〔ヌーズッ〕×〔ニュースッ〕

north（北）east（東）west（西）south（南）

の頭文字をくっつけたものが news になったという説があります。

8日目

78 「○○が～しているところ」をあらわす　人＋動詞の ing 形

～の一部を見たり聞いたりするときは人＋動詞の ing 形、はじめから最後まで見たり聞いたりするなら人＋動詞の原形であらわせます。

下のフレーズを、英語で話してみましょう！

1　私はあおいさんがおどっているのを見ました。

2　私はあおいさんがおどるのを見ました。

3　私はサンディーが歌っているのを聞きました。

4　私はサンディーが歌うのを聞きました。

ここが大切！

● see〔hear〕＋人＋動詞の ing 形 ＝一部を見る〔聞く〕
● see〔hear〕＋人＋動詞の原形＝はじめから終わりまで見る〔聞く〕

● hear は自然に耳に入る、see は自然に目に入ってくるの意味です。
過去形 heard〔ハ～ドゥッ〕　過去形 saw〔ソー〕

文のつくり方を覚えましょう

（1）私は見ました（だれを）あおいさん（何をしている）おどっている
I saw Aoi dancing.　一部

（2）私は見ました（だれを）あおいさん（何をする）おどる
I saw Aoi dance.　全体

（3）私は聞きました（だれを）サンディー（何をしている）歌っている
I heard Sandy singing.　一部

（4）私は聞きました（だれを）サンディー（何をする）歌う
I heard Sandy sing.　全体

発音のコツ

sing〔スィンク°〕　singing〔スィンキ°ンク°〕

°がついているところの音は、鼻から息(いき)をぬきながら言うカ° キ° ク° ケ° コ° です。

日本語では、私が〔ワタシカ°〕や単語の途中で出てくるカ° の音です。

例 単語（タンコ°）　小川（オカ°ワ）

track 78

1 I saw Aoi dancing.

2 I saw Aoi dance.

3 I heard Sandy singing.

4 I heard Sandy sing.

練習問題

次の日本語を英語で言ってみましょう。

（1）私は悟朗さんが出て行くのを見ました。

（2）私は悟朗さんが出て行っているのを見ました。

（3）私は悟朗さんが出て行くのを聞きました。

（1）I saw Goro go out.

（2）I saw Goro going out.

（3）I heard Goro go out.

（1）（2）（3）の go out は、外出するという意味です。

8日目

79 something to で頼む（たの）「どれでもいいから何か」

ぜいたくを言わないからとにかく
「～するための何か」がほしいとき、
something ＋ to ＋動詞の原形で、あらわすことができます。

下のフレーズを、英語で話してみましょう！

1　私は何か飲むものがほしい。

something to drink

2　私は何か食べるものがいただきたいのですが。

3　私に何か冷たい飲みものをください。

something cold to drink

4　私は何か軽い読みものがほしい。

ここが大切！

● something は、a thing（あるもの）を意味しています。
「たくさんある中でどれでもいいから1つ」ほしいときに、その「何か」がどんなものかを説明するためにto＋動詞の原形をつけます。

何か飲むもの＝ある飲むためのもの＝something to drink
何か冷たい飲みもの＝ある飲むための冷たいもの
＝something cold to drink

● something to＋動詞＋前置詞で意味をはっきりさせることができます。
何か書くもの（レポート、手紙、筆記用具、紙、テーマなど）
＝something to write

何か書くもの（紙やノートなど書かれるもの）
＝something to write on
何か書くもの（筆記用具）　＝something to write with
何か書くもの（書くテーマ）　＝something to write about

なぜ、「何か冷たいもの」が something cold となるのですか。

「あるもの」something ＝a thing と考えると、「ある冷たいもの」は、a cold thing と言うことができます。もし something を使うと cold が残ってしまうので、something cold となるのです。

track 79

1 I want something to drink.

2 I'd like something to eat.

3 Give me something cold to drink.

4 I want something light to read.

練習問題

次の日本語を英語で言ってみましょう。

（1）私は何か冷たい飲みものがいただきたいのですが。
（2）私に何か食べるものをください。
（3）私は何か買うものがあります。

（1）I'd like something cold to drink.
（2）Give me something to eat.
（3）I have something to buy.

これだけは覚えましょう

something to buy （買うためのある1つのもの）
some things to buy （買うためのいくつかのもの）
a lot of things to buy （買うためのたくさんのもの）

80 何か食べるものがない＝何も食べるものがない

お腹がすいたのに、何も食べるものがない。
そんな「何もない」ときは
not anything ＝ nothing を使ってあらわします。

下のフレーズを、英語で話してみましょう！ 

1 あなたは何か食べるものをもっていませんか。

anything?

2 あなたは何か食べるものをもっていますか。

Yes. の返事を期待

3 私は何も食べるものをもっていません。

4 私は何も
食べるものをもっていません。

ここが大切！ something≒anything

●否定文のときは、somethingの代（か）わりにanythingを使います。

「何か」食べるもの → 「何も」食べるもの（がない）
something to eat　　not anything to eat

●「何か」もっていないかたずねるときも、anythingをよく使います。

You have something ～．→ Do you have anything ～？

ここが大切！ not anything＝nothing

not anythingはnothingと言いかえることができます。

私は何も～するものをもっていない。

- I don't have anything.
- I have nothing.

I don't have anything. の方がよく使われます

あなたは何か〜するものをもっていませんか。

Do you have anything 〜？

あなたは何か〜するものをもっていますか。

Do you have something 〜？

「疑問文にはanything、ふつうの文にはsomething」と教科書で習いますが、Yes.の返事を期待しているときはsomethingも使えます。

track 80

1 Do you have anything to eat?

2 Do you have something to eat?

3 I have nothing to eat.

4 I don't have anything to eat.

練習問題

次の日本語を英語で言ってみましょう。

私には何もない: I have nothing〔アーィ ヘァヴッナッスィン・〕

（1）私は書くテーマがないんですよ。

（2）私は書くための用紙がないんですよ。

（3）私は筆記用具がないんですよ。

（1）I have nothing to write about.

（2）I have nothing to write on.

（3）I have nothing to write with.

（1）I don't have anything to write about.

（2）I don't have anything to write on.

（3）I don't have anything to write with.　でも正しい答えです。

81 「～された」を話す受動態

「～される〔た〕」という話をするときは、
be 動詞＋過去分詞形であらわします。

下のフレーズを、英語で話してみましょう！

1　この家は 10 年前に建(た)てられました。

was built

2　この家は木で建てられています。

is built

3　この家は建築(けんちく)中です。

is being built

4　この家は今年いっぱいに建てられるでしょう。

will be built

●～されるをあらわしたいときは、次のパターンをとります。

【現在】　is〔are〕＋過去分詞形

【過去】　was〔were〕＋過去分詞形

【現在進行形】　is〔are〕＋being ＋過去分詞形

【助動詞】　will＋　be＋過去分詞形

【現在完了形】　have〔has〕＋been＋過去分詞形

文のつくり方を覚えましょう

（2）この家です 

建てられている 

木

This house is built of wood.

発音 house〔ハーゥスッ〕　houses〔ハーゥズィズッ〕

（3）この家です（どんな状態）進行中（どんな状態）建てられている

This house is being built.

（4）この家は～でしょう（どんな状態）建てられる（いつまでに）最後（何の）今年

This house will be built by the end of this year.

ここが大切！

「～を与える」ような意味をもっている動詞は、be＋**過去分詞形**＋前置詞（by以外）で使うときは、完全な形容詞になっていると考えてください。

例
- 驚かせる（驚きを与える）surprise〔サプゥラーイズッ〕
- 驚いている　be surprised〔ビー　サプゥラーィズドゥッ〕

track 81

1 This house was built ten years ago.

2 This house is built of wood.

3 This house is being built.

4 This house will be built by the end of this year.

練 習 問 題

次の日本語を英語で言ってみましょう。

（1）日本では多くの家が木で建てられています。

日本では: In Japan〔イン　ヂァペァンヌ〕

（2）この時計は日本製です。〔この時計は日本でつくられました。〕

（3）私は英語に興味があります。

～に興味がある: be interested in〔ビー　インタゥレスティディン〕

（1）In Japan many houses are built of wood.

（2）This watch was made in Japan.

（3）I'm〔am〕interested in English.

ここをまちがえる！

例 この時計は日本製です。　This watch was made in Japan.

日本で「つくられた」から、「日本製」と言っていると考えてください。

8日目

9日目

接続詞と仮定法

82 「～のときは」と条件つきで話す

タイミングや状況（じょうきょう）など「条件」を入れて話すときは、
接続詞を使うと便利。
一番言いたいことと、おまけの部分の時制に気をつけましょう。

下のフレーズを、英語で話してみましょう！

1 そこへ着いたら、私に知らせてね。

2 そこへいつ着くのか私に教えてね。

3 もしあす雨が降ったら、私は家にいます。

if it rains

4 5時になったら、私に教えてね。

ここが大切！ **一番言いたいことか「おまけ」かを考えよう**

●副詞（おまけのはたらき）をする主語＋動詞の部分を**副詞節（ふくしせつ）**と呼びます。副詞節では、未来のことでも、現在形を使います。

●副詞節をみちびくのは、**接続詞（せつぞくし）**です。

if　（もし～なら）	when　（～するとき）
before（～する前に）	after　（～のあとで）
as soon as（～するとすぐに）	unless〔アンレスッ〕（もし～でなければ）

文のつくり方を覚えましょう

（1）知らせてね（だれに）私に　～するとき（だれが何をする）あなたが着く（どこへ）そこへ

Tell me　when　you get　there.

一番言いたいこと　副詞節をみちびく接続詞→現在形

（2）教えてね（だれに）私に（何を）いつ　あなたが着く（どこへ）そこへ

Tell me　when you will get　there.

一番言いたいこと　名詞節＝いつ＋主語＋will＋動詞の原形

whenには、２つの使い方があります。
（1）～したとき＋主語＋動詞の現在形
（2）いつ＋主語＋will＋動詞の原形

track 82

1 Tell me when you get there.

2 Tell me when you will get there.

3 I'll〔will〕stay home if it rains tomorrow.

4 Tell me when it's five.

練習問題

次の日本語を英語で言ってみましょう。

（1）もしあす雨が降（ふ）れば、私は外出しません。
～するつもりはない: won't〔ウォーゥントゥッ〕外出する: go out〔ゴーゥ アーゥトゥッ〕

（2）悟朗さんがきたら、出発しましょう。 出発する: leave〔リーヴッ〕

（3）雨がやんだら、すぐに出発しましょう。
～するとすぐに: as soon as〔アズスーナズッ〕

（1）I won't〔will not〕go out if it rains tomorrow.
（2）Let's leave when Goro comes.
（3）Let's leave as soon as it stops raining.

(1)) If it rains tomorrow, I won't〔will not〕go out.
のように副詞節を一番言いたいことの前に出すこともできます。副詞節を前に出すときは、If～，と書くのをイメージして、少し間をあけて話すと、きちんと伝わります。

9日目

83 ifで「もしも」の話をする

Ifでもしもの話をするとき、
条件がそろうとできる場合は現在形、
できる可能性が低い場合は過去形を使いましょう。

下のフレーズを、英語で話してみましょう！

1 もし、あす雨ならば、私は家にずっといます。

2 もし、あなたが丹波篠山（たんばささやま）へ来られたら、私はあなたをあちこちに案内してさしあげるのですが。

3 もし、私があなたなら、
私はそれをしませんよ。

4 もし、私の父がまだ生きていたら、
彼は今日（こんにち）だと99才になっていますよ。

ここが大切！

●条件がそろえば実現できるときは、If＋主語＋動詞の部分には現在形を使い、もう一方の英文にはwillを使います。
●現実的には不可能だけど思いを伝えたいときは、過去形を使います。

(1) もし雨が降れば　（いつ）あす，　私はずっといます　（どこに）家に
If it rains tomorrow, I will stay home.
「あした雨が降るという条件を満たせば」ということをあらわす

(3) もし私があなただったら，私はしませんよ　（何を）それ
If I were you, I wouldn't do it.
「私があなたである」わけがないけれど、思いを伝えたい

(4) もし私の父がまだ生きていたら、　99才になっているだろう　（いつ）今日（こんにち）だと
If my father was 〔were〕 still alive, he would be 99 today.
「私の父はもう生きてはいない」ことを示している

●If＋主語＋動詞の部分に入るbe動詞は、現実的に不可能なことを言いたい場合、正式な英文法では、過去のことをあらわす英文法と区別するために、いつもwereを使います。

例 If I were you（もし、私があなただったら）

ただし、アメリカ英語では、wereの代わりにwas を使うことが多いのですが、If I were you だけは、was を使わない人も多いようです。

track 83

1 If it rains tomorrow, I will stay home.

2 If you came to Tamba-Sasayama, I would take you around.

3 If I were you, I wouldn't〔would not〕do it.

4 If my father was〔were〕still alive, he would be 99 today.

練習問題

次の日本語を英語で言ってみましょう。

（1）もし、あなたが熱心に勉強すると、司法試験に受かるでしょう。

→可能性がある場合　司法試験: the bar exam〔ざ バーイグゼァムッ〕

（2）もし、あなたが熱心に勉強したら、司法試験に受かるでしょう。

→熱心に勉強することがないことがわかっている場合

（3）もし、私が鳥だったら、私はあなたの家まで飛んでいくのになあ。

（1）If you study hard, you will pass the bar exam.

（2）If you studied hard, you would pass the bar exam.

（3）If I was〔were〕a bird, I would fly to your house.

84 「もし～だったら○○できたのに」と、そもそも無理な話をする

「もし～したら」、とそもそも不可能である話をする場合は、日本文の動詞の中に「た」が1つなら過去形、「た」が2つならhad ＋過去分詞形を使います。

下のフレーズを、英語で話してみましょう！

1 もし私が1,000円もっていたら、私はこの本が買えるのになあ。

2 私は1,000円もっていないので、私はこの本が買えません。

3 もし私が1,000円もっていたら、私はその本が買えたのになあ。

4 私は1,000円もっていなかったので、私はその本が買えなかった。

ここが大切！　「た」の数でifに続く文の形を決める

（1）もっていたら、買えるのになあ。

→日本文の中に「た」は1つ→If＋主語＋過去形

（3）もっていたら、買えたのになあ。

→日本文の中に「た」は2つ→If＋主語＋had＋過去分詞形

If＋主語＋過去形, I could buy

I boughtにcouldが入ったので、I could buy

If＋主語＋had ＋過去分詞形, I could have＋bought

had boughtの前に、could（たぶん～だろう）を入れたので、have boughtにもどっている

ここをまちがえる！

「もし～だったら、○○できるのになあ。」

→（現実には）「～だから、○○できない。」

現実世界の話をするときは、現在形にもどしましょう。

英語最新情報

Asを「～なので」という意味で学校では習いますが、アメリカ英語では、asを使うことはほとんどなく、その代(か)わりにsince を使います。

track 84

1 If I had 1,000 yen, I could buy this book.

2 Since I don't〔do not〕have 1,000 yen,
I can't〔can not〕buy this book.

3 If I had had 1,000 yen, I could have bought the book.

4 Since I didn't have 1,000 yen, I couldn't〔could not〕buy the book.

練習問題

次の日本語を英語で言ってみましょう。

（1）もし私にきょう仕事がなかったら、私はあなたを京都へ連れて行ってあげられるのになあ。　→If からはじめて
あなたを連れて行く: take you〔テーィキュー〕

（2）私はきょう仕事があるので、私はあなたを京都に連れて行くことができない。　→Since からはじめて

(1) If I didn't have work today, I could take you to Kyoto.
(2)Since I have work today, I can't take you to Kyoto.

ここで紹介した答え以外にも、次のような言い方もできます。
私は、きょう仕事があります。だから、私はあなたを京都へ連れて行けません。
I have work today, so I can't take you to Kyoto.

85 「だったらよいのになあ。」と仮定や想像を話す

「～だったらよいのになあ」と
「～だったらよかったのになあ」は、
I wish から始めればよいでしょう。

下のフレーズを、英語で話してみましょう！

1 英語が話せたらよいのになあ。

2 残念だけど、私は英語を話せません。

3 直美さんがここにいたらよかったのになあ。

4 残念だけど、直美さんはここにいませんでした。

ここが大切！「た」が1つなら過去形、2つならhad ＋過去分詞形

～だったらよいのになあ　I wish ＋主語＋過去形
～だったらよかったのになあ　I wish ＋主語＋ had ＋過去分詞形

(1) 私はよいのになあと思う (何を) 私が話せた (何を) 英語
I wish I could speak English.
（could：過去形）

(2) 私は残念に思う (何を) 私は話せない (何を) 英語
I'm〔am〕sorry I can't speak English.

(3) 私はよかったのになあと思う (何を) 直美さんがいた (どこに) ここに
I wish Naomi had been here.
（had been：had+過去分詞形）

(4) 私は残念に思う (何を) 直美さんはいなかった (どこに) ここに
I'm〔am〕sorry Naomi wasn't here.

●I wishの後が過去形やhad＋過去分詞形でなければ、単に「私は希望します」の意味です。

I wish you will pass the exam.
（あなたがその試験に合格しますように）

I wish you to stay here.（私はあなたにここにいていただきたい。）

I wish you good luck.（あなたの幸運を祈（いの）ります。）

track 85

1 I wish I could speak English.

2 I'm〔am〕sorry I can't speak English.

3 I wish Naomi had been here.

4 I'm〔am〕sorry Naomi wasn't here.

練習問題

次の日本語を英語で言ってみましょう。

（1）もっと背が高かったら、よいのになあ。

もっと背が高い: taller〔トーラァ〕

（2）あと1,000円あったら、よいのになあ。

あと1,000円: one thousand yen more〔ワン さーゥザン・いェン モーァ〕

（3）もっと上手に英語が話せたらよいのになあ。

もっと上手に: better〔ベタァ〕

（1）I wish I was〔were〕taller.
（2）I wish I had 1,000 yen more.
（3）I wish I could speak English better.

これだけは覚えましょう

背が高い tall〔トーオ〕 もっと背が高い taller〔トーラァ〕

上手に well〔ウェオ〕 もっと上手に better〔ベタァ〕

あと５分 ✕ more 5 minutes ○ 5 more minutes ○ 5 minutes more

86 「～だったら○○するのになあ。」と妄想(もうそう)をする

「～だったらよいのになあ」と想像からふくらませて
どんどん英語を話せるといいですね。
I wish ～.　Then I ～. の英文を
If を使って１つにまとめて話してみましょう。

下のフレーズを、英語で話してみましょう！

1　英語がぺらぺらに話せたらよいのになあ。　I wish

2　そうしたら、私は仕事でアメリカへ行くだろう。　I would

3　もし私が英語がぺらぺらだったら、
私は仕事でアメリカへ行くだろう。　if I could

アメリカ

4　私は英語がぺらぺら話せない、
だから、私は仕事でアメリカへは行きません。　I can't

ここが大切！

「私が～だったらよいのになあ」を、I wish＋主語＋過去形～.
「そうしたら、私は～するだろう」を、Then I would ～.
この２つの英文を１つにすると、If I＋過去形, I would ～. とスッキリ話すことができます。

文のつくり方を覚えましょう

（１）私が～だったらよいのになあ　（どんな状態）　私が英語を話せた　（どのように）　ぺらぺらに
I wish　I could speak English　fluently.

（２）そうしたら私はたぶん行くだろう　（どこへ）　アメリカ　（何のために）　仕事
Then I would go　to　America　on　business.

（３）もし私が英語がぺらぺらだったら、私は仕事でアメリカへ行くだろう。
If I could speak English fluently, I would go to America on business.

（４）私は英語がぺらぺら話せない、だから、私は仕事でアメリカへ行くつもりはない。
I can't speak English fluently, so I won't go to America on business.

ここで使う単語

Aに B するように頼(たの)む　ask A to B

Aに B するように言う　tell A to B

Aに B してもらいたい　want A to B

Aが B するのを期待する　expect A to B

発音 ask〔エァスックッ〕 tell〔テオ〕 want〔ワントゥッ〕 expect〔イクッスッペクットゥッ〕

track 86

1 I wish I could speak English fluently.

2 Then I would go to America on business.

3 If I could speak English fluently, I would go to America on business.

4 I can't speak English fluently, so I won't go to America on business.

練習問題

次の日本語を英語で言ってみましょう。

（1）英語が、上手に話せたらよいのになあ。

（2）そうしたら、私はジュディーさんに私と結婚してくれるように頼むだろう。　ジュディーさんに頼む: ask Judy〔エァスックッ チュディー〕
私と結婚すること: to marry me〔トゥ メァウリィ ミー〕

（3）もし私が英語を上手に話せたら、私はジュディーさんに私と結婚してくれるように頼むだろう。

（1）I wish I could speak English well.

（2）Then I would ask Judy to marry me.

（3）If I could speak English well,I would ask Judy to marry me.

87 「～よりもすごい」「一番すごい」とすごいアピールをする

どれだけすごいと言っても説得力が足りないときは、「～の方がすごい」、「一番すごい」、「AとBは同じぐらいすごい」と～er，～est, as～asであらわすと効果的です。

下のフレーズを、英語で話してみましょう！

1　この木は背が高い。

2　この木の方があの木よりも背が高い。

3　この木は日本で一番背が高い。

4　この木はあの木と同じぐらい背が高い。

●ただ「背が高い」と言っても伝わりづらい場合は、何かと比べて「どんなに高いか」説得力をもたせましょう。

これだけは覚えましょう

背が高い　～の方が背が高い　一番背が高い　同じぐらい背が高い
tall　－　taller　－　the tallest　－　as tall as

（1）この木ですよ 

背が高い
This tree is tall.

（2）この木ですよ 

背が高い方 

あの木
This tree is taller than that one (is).

（3）この木ですよ 

一番背が高い 

日本
This tree is the tallest in Japan.

（4）この木ですよ　どんな状態　同じぐらい背が高い　何と　あの木
This tree is as tall as that one (is).

ここが大切！

●1つの英文の中で同じ名詞をくりかえして言う場合は、2つ目の名詞の代わりにoneを使うことがふつうです（this tree→that one)。ただし、名詞を使ってもまちがいではありません。

track 87

1 This tree is tall.

2 This tree is taller than that one (is).

3 This tree is the tallest in Japan.

4 This tree is as tall as that one (is).

練習問題

次の日本語を英語で言ってみましょう。

（1）富士山は高い。　富士山: Mt.Fuji〔マーゥントゥッ フジ〕

（2）富士山の方が浅間(あさま)山よりも高い。

（3）富士山は日本にあるすべての山の中で一番高い。

すべての山の中で: of all the mountains〔オヴォーオ ざ マゥンテンズッ〕

日本にある: in Japan〔イン ヂァペァンヌ〕

（1）Mt.Fuji is high.

（2）Mt.Fuji is higher than Mt.Asama(is).

（3）Mt.Fuji is the highest of all the mountains in Japan.

ここが大切！

比較で使う、～er thanとas～asは、天秤(てんびん)ばかりに同じ重さのおもりをのせてつり合わせるイメージで考えるとよいでしょう。isが必要な理由がわかります。

88 「あなたは一番美しい。」をまちがえずに言えるとカッコいい

なにかと比較して話すとき、
形容詞で長い単語は er の代わりに more,
the ～ est の代わりに the most を使います。

下のフレーズを、英語で話してみましょう！

1 この花は美しい。

2 この花の方があの花よりも美しい。

3 この花はここにあるすべての花の中で一番美しい。

4 この花はあの花と同じぐらい美しい。

●形容詞で長い単語を比べるとき、次のように変化します。

これだけは覚えましょう

美しい	～の方が美しい	一番美しい
beautiful ―	more beautiful ―	the most beautiful

文のつくり方を覚えましょう

（2）この花ですよ（どんな状態）もっと美しい（何よりも）あの花
This flower is more beautiful than that one (is).

（3）この花ですよ（どんな状態）1番美しい（～の中で）すべての花（どこにある）ここに
This flower is the most beautiful of all the flowers here.

（4）この花ですよ（どんな状態）同じぐらい美しい（何と）あの花
This flower is as beautiful as that one (is).

ここをまちがえる！

「長い単語」とは、母音（ア・イ・ウ・エ・オ ）の数が2つ以上あるものだと覚えておきましょう。

難（むずか）しい difficult〔ディフィカオトゥッ〕	おもしろい interesting〔インタゥレスティン・〕
有名な famous〔フェーイマスッ〕（イ イ ア）	役に立つ useful〔ユースッフォー〕（イ ア エ イ）
人気のある popular〔パピュラァ〕	重要な important〔インポータントゥッ〕

track 88

1 This flower is beautiful.

2 This flower is more beautiful than that one (is).

3 This flower is the most beautiful of all the flowers here.

4 This flower is as beautiful as that one (is).

練習問題

次の日本語を英語で言ってみましょう。

（1）この本の方があの本よりもおもしろい。

（2）この本はここにあるすべての本の中で一番おもしろい。

（3）この本はあの本と同じぐらいおもしろい。

（1）This book is more interesting than that one (is).

（2）This book is the most interesting of all the books here.

（3）This book is as interesting as that one (is).

9日目

これだけは覚えましょう

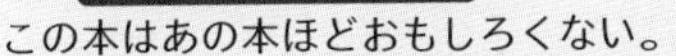

この本はあの本ほどおもしろくない。

(a) This book isn't more interesting than that one (is).

(b) This book isn't as interesting as that one (is).

(c) This book is less interesting than that one (is).

※not more＝less〔レスッ〕

89 ～er、more のように変化しない形容詞

比較して話すとき、
good,well,very much は、better,the best のように
変化するので気をつけましょう。

下のフレーズを、英語で話してみましょう！

1 あなたの自転車は上等（じょうとう）です。

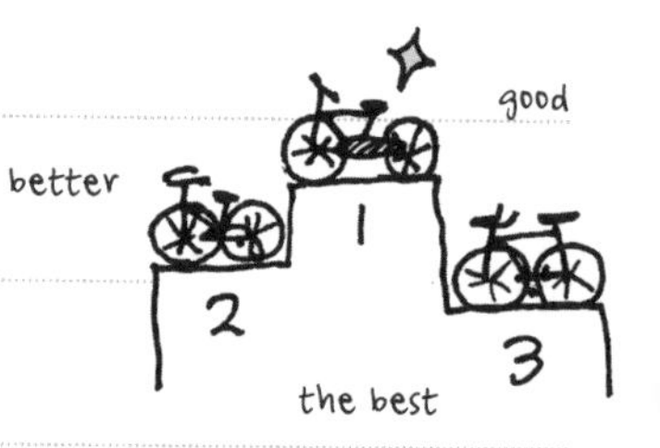

2 あなたの自転車の方が
私の自転車よりも上等です。

3 あなたの自転車はすべてのこれらの
自転車の中で一番上等です。

4 あなたの自転車は私の自転車と同じぐらい上等です。

ここが大切！

ここにあげている単語は、ほかの形容詞と同じような変化をしないので覚えておきましょう。

よい good －	～の方がもっとよい better －	一番よい the best	～と同じくらいよい as good as
よく、 上手に well －	～の方がよく、 ～の方が上手に better －	一番よく、 一番上手に the best	～と同じくらいよく、 ～と同じくらい上手に as well as
たくさんの数の many －	～の方が たくさんの数の more －	一番 たくさんの数の the most	～と同じくらい たくさんの数の as many as
多量の much － 〔マッチッ〕	～の方が多量の more － 〔モーア〕	一番多量の the most 〔ざ モーゥスットゥッ〕	～と同じくらい多量の as much as 〔アズッ マッチァズッ〕

悪い		～の方が悪い		一番悪い	～と同じくらい悪い
bad	―	worse	―	the worst	as bad as
〔ベアッ・〕		〔ワ～スッ〕		〔ざ ワ～スットゥッ〕	〔アズッ ベアッダズッ〕
少ない		～の方が少ない		一番少ない	～と同じくらい少ない
little	―	less	―	the least	as little as
〔リトー〕		〔レスッ〕		〔ざ リーストゥッ〕	〔アズッ リトラズッ〕

track 89

1 Your bike is good.

2 Your bike is better than mine (is).

3 Your bike is the best of all these bikes.

4 Your bike is as good as mine (is).

練習問題

次の日本語を英語で言ってみましょう。

（1）あなたは私よりも上手に英語を話します。

（2）あなたは私たちみんなの中で一番上手に英語を話します。

私たちみんなの中で: of us all〔アヴァソーオ〕

（3）あなたは直美さんと同じぐらい上手に英語を話します。

（1）You speak English better than I(do).

（2）You speak English (the) best of us all.

（3）You speak English as well as Naomi(does).

"Do you speak English?" "Yes, I do."のdoがspeak Englishをあらわしているのと同じように考えると、doやdoesが必要な理由がわかります。
次のような言い方もできます。

(1) You speak English better than I do.

(3) You speak English as well as Naomi does.

9日目

90 どちらが好き？
この中でどれが好き？

「どちらを好きか」をたずねるときには、
very much が変化した better を使います。

下のフレーズを、英語で話してみましょう！

1 あなたは紅茶とコーヒーとどちらの方が好きですか。

2 私は紅茶の方が好きです。

3 私はどちらも好きです。

4 私はどちらも好きではありません。

ここが大切！ **very much は very more には変化しない**

例 私は紅茶がとても好きです。〔の方が好きです。一番好きです。〕
I like tea〔very much, better, the best〕.
のように変化をします。

ここが大切！ **どちらが好き？は which でたずねる**

●世界中のもので「何が好き？」と what でたずねますが、決まったものからどれか1つを選んでもらうときは、which を使います。
「2つのうちどちらか」を選ぶ（比べる）ときは必ず which でたずねます。

例 あなたは A と B とどちらが好きですか。
Which do you like better, A or B?

例 あなたは何色が一番好きですか？
What color do you like the best?

これだけは覚えましょう

私はそれらのどちらも好きではない。

not ＋ either＝neither と考えられるので、下のどちらも正解です。

○ I don't like either of them.

○ I like neither of them.

track 90

1 Which do you like better, tea or coffee?

2 I like tea better.

3 I like both of them.

4 I don't like either of them.

練習問題

次の日本語を英語で言ってみましょう。

（1）私は彼女たちのどちらも好きです。　彼女たち: them〔ぜムッ〕

（2）私は彼女たちのどちらも好きではありません。

（3）私はジュディーの方が好きです。

（1）I like both of them.

（2）(a)I don't like either of them.

(b)I like neither of them.

（3）I like Judy better.

これだけは覚えましょう

私は彼女たちのどちらも好きです。

I like both of them.

ofを使わずにあらわすことができます。

I like them both.

9日目

10日目

説明や意見をのべる

91 ２つの文をすっきりまとめて話す

同じ人や物が２つの文にまたがって出てくるとき
文と文をすっきりまとめて話すと
レベルの高い英語に聞こえます。

下のフレーズを、英語で話してみましょう！

1 私はある17才の学生を知っています。

2 私はある長い髪をしている学生を知っています。

3 私はある名前が直美という学生を知っています。

4 私はある長い髪の学生を知っています。

5 私がよく知っているその学生は長い髪をしています。

ここが大切！ **関係代名詞で２つの文を上手につなげる**

●同じ人（物）が出てくる２つの文を話すとき、**関係代名詞**でまとめて１つの文にすることができます。

I know a student. （私はある学生を知っています。）
She is seventeen years old. （彼女は17才です。）
→ I know a student (who) is seventeen years old.
私は知っている＋ある学生　だれが＝彼が　17才である

●（　　）の次の文を考えたときに、どんな疑問が生まれるかによって、適当な関係代名詞を入れます。
（だれが）ならwho、（だれの）ならwhose、（だれを）ならwhomを入れます。

ここをまちがえる！

「私はある学生を知っています。」「彼女は17才です。」とブツ切りのように話すことは、決してまちがいではありません。最初はそこから話せるようになりましょう。
関係代名詞を使わないと小学生の英語、使うとレベルの高い英語に聞こえるだけです。

track 91

1 I know a student who is seventeen years old.

2 I know a student who has long hair.

3 I know a student whose name is Naomi.

4 I know a student whose hair is long.

5 The student whom I know well has long hair.

練習問題

次の日本語を英語で言ってみましょう。

（1）黒い目をしているあの少年　黒い: dark〔ダークッ〕
（2）黒い目のあの少年
（3）私が大好きなあの少年

（1）that boy who has dark eyes
（2）that boy whose eyes are dark
（3）that boy whom I love〔like very much〕

1つのかたまりを、文に言いかえてみるとよいのです。
（2）黒い目のあの少年→あの少年の目は黒い。

that boy (　　) eyes are dark
〈だれの〉　目は黒い
||
whose

92 自己紹介をしてみる

自分のことを話してみましょう。
名前や年齢（ねんれい）、出身地、趣味（しゅみ）などを
英文にして伝えることができますか。

下のフレーズを、英語で話してみましょう！

1 私のことを紹介させてください。

introduce myself

2 私の名前は酒井直美と申します。

3 私は日本の丹波篠山（たんばささやま）出身です。

4 私は１７才の学生です。

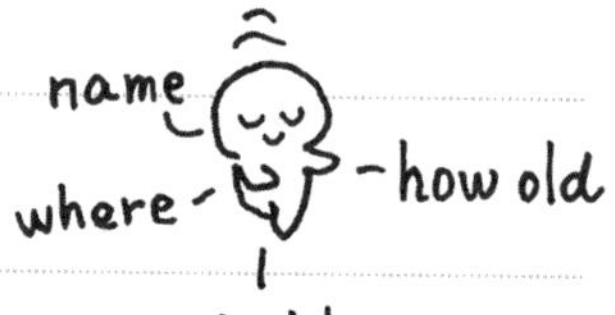

5 私は水彩画（すいさいが）を描く（えがく）ことが好きです。

ここが大切！ **自己紹介の決まり文句**

❶ Let me ～で､「私に～させてください」をあらわします。

Let me introduce myself. （私に自分を紹介させてください。）

私にさせて （何をする） 紹介する （何を） 私自身

例 Let me see it. （私にそれを見せてください。）

私にさせて （何をする） 見る （何を） それ

I'd like to introduce myself. で言いかえられます。

❷ 私の名前です （何なの） 直美 酒井

My name is Naomi Sakai.

名 姓

英語で日本人の名前を言うとき、名→姓が一般的ですが、姓→名の順にする動きがあります

（2）My name is Naomi Sakai. は、I'm Naomi Sakai.で言いかえられます。

My name is ～. はていねいな言い方なので、ていねいに言う必要がないときはI'm ～. と言ってください。

track 92

1 Let me introduce myself.

2 My name is Naomi Sakai.

3 I'm〔am〕from Tamba-Sasayama, Japan.

4 I'm〔am〕a seventeen-year-old student.

5 I like painting in watercolors.

❸＝I come from Tamba-Sasayama,Japan.

❹＝I'm a student who is seventeen years old.

a student の説明を、関係代名詞を使ってあらわしています。

例文では、a student の説明が、a と student の間に入っていることから、形容詞のはたらきをしています。

形容詞では、複数のものに対してもs をつけることはないので、a seventeen-year-old student となっています。

10日目

❺＝My hobby is painting in watercolors.

（私の趣味は水彩画を描くことです。）

93 接続詞でうまく文をつなげる

接続詞がなくても意味は通じますが、
適当な接続詞をうまく使うと、
言いたいことが整理されて、よりよく理解してもらえます。

下のフレーズを、英語で話してみましょう！

1 トニーはアメリカ人です。

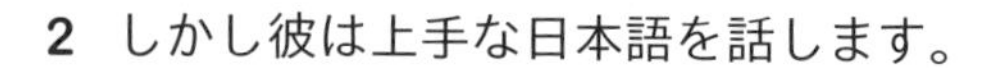

2 しかし彼は上手な日本語を話します。

3 そして彼はとても日本が好きです。

4 だから彼はアメリカへ帰りたくないのです。

●書く英語では、接続詞をできるだけ使ってきちんとした英文にしなければなりませんが、話しことばでは、接続詞を省略することがよくあります。
ここでは、しかし but〔バッ・〕そして and〔アンドゥッ〕、だから so〔ソーゥ〕を使って、よりよい英語を話す練習をします。

文のつくり方を覚えましょう

（1）トニーですよ（何なの）アメリカ人の
Tony is American.

（2）しかし、彼は話す（何を）じょうずな日本語
But he speaks good Japanese.

（3）そして、彼は好きです（何を）日本（どれくらい）とてもたくさん
And he likes Japan very much.

（4）だから彼はほしくない（何をすること）帰ること（どこへ）アメリカ
So he doesn't want to go back to the States.

America と the States の使い分けはあるのですか。

アメリカ人が国外にいる場合に、自国を指すときは、the States を使うのがふつうです。

track 93

1 Tony is American.

2 But he speaks good Japanese.

3 And he likes Japan very much.

4 So he doesn't want to go back to the States.

練習問題

次の日本語を英語で言ってみましょう。

（1）私はステーキを食べたいですね。　ステーキ: steak〔ステーィクッ〕

（2）しかし、私はお金が足らないのです。

～が足らない: be short of〔ビー ショータヴッ〕

（3）だから、私は（どこにでもある）レストランに行けません。

レストラン: restaurant〔ゥレトーゥラントゥッ〕

（1）I want to have〔eat〕steak.

（2）But I am short of money.

（3）So I can't go to a restaurant.

手持ちのお金がありません。

I don't have any money with〔on〕me.

I have no money with〔on〕me.

on には、「～を身につけて」という意味があります。

10日目

94 説明のパターンを身につける

おおまかに言っておいて、
とくに（especially)、～だとくわしく話して
その次にかならずその理由をのべるパターンでしっかり伝えられます。

下のフレーズを、英語で話してみましょう！

1 私はありとあらゆる食べ物が好きです。

2 とくに、私は日本料理が好きです。

3 私の職場の近くによい日本料理の店があります。

4 私はいつも昼食にはそこへ行きます。

5 なぜならば、料金は安いし、そこの料理がおいしいからです。

ここが大切！ **英語らしい説明の展開**

英語には英語らしい話の展開のしかたがあります。

❶大きくとらえる
❷その中の一部に注目して話す
（especially,「とくに～です」
❸物事の理由、「なぜ」を話す
（because、「なぜならば～だからです」）

ここをまちがえる！

あなたは食べものの好ききらいはとくにありますか。

Do you have any strong likes or dislikes in food?

私はとくに食べものの好ききらいはありません。

I have no special likes or dislikes in food.

疑問文と否定文では likes or dislikes、ふつうの文では likes and dislikes となります。

私は食べものの好ききらいがあります。　I have my likes and dislikes in food.

私は何事にも好ききらいがあります。I have my likes and dislikes about everything.

track 94

1 I like all kinds of food.

2 Especially, I like Japanese dishes.

3 There is a good Japanese restaurant near my office.

4 I always go there for lunch.

5 Because the prices are low and the food is good.

❶＝I eat everything.（私は何でも食べます。）

＝I like any food.（私はどんな食べものも好きです。）

＝I have no special likes or dislikes in food.

（私は特別な食べものの好ききらいはありません。）

❷＝Especially, I like Japanese food.

❸＝There is a good Japanese restaurant near my work.

95 話す順序を整えると、説明が伝わりやすくなる

どこへ行ったか＋その目的＋心を打ったこと＋他にどこに行った＋結論のパターンで、わかりやすく経験したことをのべることができます。

下のフレーズを、英語で話してみましょう！

1 私たちは丹波篠山(たんばささやま)へ修学旅行で行きました。

2 その旅行の目的は、丹波篠山の歴史と文化を学ぶためでした。

3 私の心を打ったことは、丹波篠山は緑の多い町であったということでした。

4 私たちは、徳川家康によって建てられた篠山城も訪(おとず)れました。

5 この旅行から私たちは丹波篠山の文化と篠山城の歴史についてたくさん学びました。

ここが大切！「伝わる」説明にする

たとえば旅行に行った感想をみんなに聞いてもらいたいときも、

❶どこへ行ったか
❷その目的
❸感動したこと
❹他に行ったところ
❺わかりやすい話のまとめ

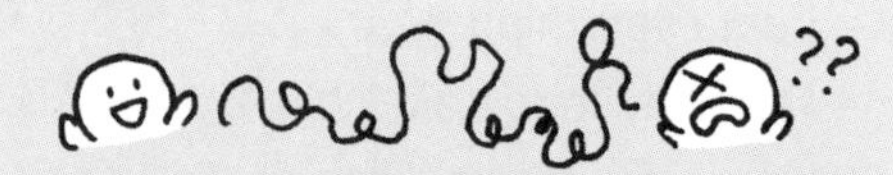

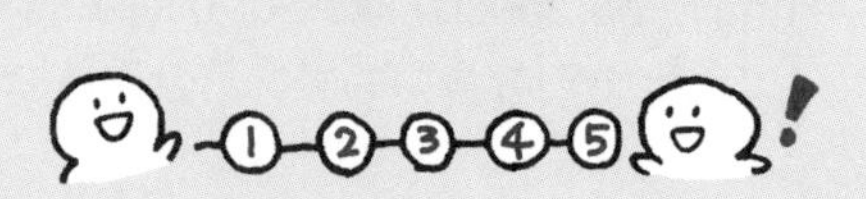

このような話し方をすると、聞いている人にとって、わかりやすい英文になります。

ここで使う単語

丹波篠山市について>

丹波篠山は、丹波黒枝豆、黒豆、松たけ、丹波栗、丹波山の芋(いも)などで有名な日本遺産の町です。夏には、全国的に有名なデカンショ祭りがあります。

昔はいなかの代名詞でしたが、最近は伝統を残しつつ町おこしがさかんになっています。

track 95

1 We went to Tamba-Sasayama on a school trip.

2 The purpose of the trip was to learn about its history and culture.

3 What struck me was that Tamba-Sasayama is a town with a lot of greenery.

4 We also visited Sasayama Castle built by Tokugawa Ieyasu.

5 From this trip, we learned a lot about Tamba-Sasayama's culture and the history of Sasayama Castle.

❷ to learn about its history and culture

＝to learn about Tamba-Sasayama's history and culture.

❸ what＝the thing which ＝that which のように言いかえることもできますが、一番かんたんな what を使うのがよいでしょう。

主語＋was＋that＋完全な英文. で、「～は、～ということでした。」

発音 struck〔スチュラックッ〕～の心を打った

＝impressed〔インプゥレストゥッ〕～に感銘(かんめい)を与えた

❹ Sasayama Castle built by Tokugawa Ieyasu.

＝Sasayama Castle which was built by Tokugawa Ieyasu.

関係代名詞＋be 動詞を省略しても同じ意味になります。

96 スピーキングのパターン❶ 結論＋3つの理由＋結論

結論＋3つの理由＋結論のパターンを使って
自分の考えをのべる練習をする

下のフレーズを、英語で話してみましょう！

1　私は英語を学んで身につけたい。

2　英語は世界中で使われています。

3　英語は仕事に役に立ちます。

4　私は英語を使ってお金をもうけたい。

5　私は効果的に英語を勉強することに興味があります。

ここが大切！　自分の意見を伝える

●英会話スクールなどでおこなう英会話レッスンと、この本でお話ししているスピーキングのちがいは、**スピーキングでは「自分の意見をのべる」**ということです。
「私はこう思う」「私はこうしたい」という意見を伝え、その意見が正しいことを掘（ほ）り下げて話すのです。
●英語で意見をのべるとき、以下のパターンをよくとります。

❶自分が**言いたいこと（意見）**をまずのべる
❷その**理由を3つ**のべる
❸最後に**もう一度自分の言いたいこと**をのべる

大切なのは、**かんたんな英語**でのべるということです。
難しい単語や構文を使っても、英語が母国語ではない相手のときに、意味をわかってもらえなかったら意味がありません。
英語力がある人は、接続詞を適当に使うとよいのですが、はじめは使わなくてもよいと思います。

track 96

1 I want to learn English.

2 English is used all over the world.

3 English is useful for work.

4 I want to make money by using English.

5 I'm 〔am〕 interested in studying English effectively.

❶＝I want to master English.

❷＝English is used around the world.

❸＝English is good for work.

❹＝I want to earn money by using English.
byは前置詞なので、byの次には名詞をもってくる必要があるため、名詞のはたらきをする動詞のing形を使って話しています。

❺be interested in ＋名詞なので、名詞のはたらきをする動詞のing形がきています。

English interests me.（英語は私に興味を与えてくれます。）
＝English is interesting to me.（英語は私にとっておもしろい。）
＝I'm interested in English.（私は英語に興味があります。）
＝I have an interest in English.（私は英語に興味があります。）

97 スピーキングのパターン❷ 結論＋３つの理由＋結論言いかえ

英語では、最初に結論をのべ、３つ理由をのべ、最後に少し言い方をかえてもう一度結論を言う

下のフレーズを、英語で話してみましょう！

1 私はコーヒー党です。

2 コーヒーは味がよいし、香りもよい。
※つながりのある文章中なのでコーヒーを it として話しましょう

3 コーヒーは眠気（ねむけ）をさましてくれる。

4 コーヒーはだれの体にもよい。

5 私は１日にコーヒーを４はい飲みます。

ここが大切！ **いろいろな展開を身につけよう**

❶最初に**自分の言いたいこと（意見）**をのべる
❷その**理由を３つ**のべる
❸最後に**自分の言いたいことを表現をかえて**言う

文のつくり方を覚えましょう

（３）コーヒーは保（たも）ってくれる（だれを）私を（どんな状態に）目が覚（さ）めた
It keeps me awake.

（４）コーヒーですよ（何なの）体によい（だれに）みんな
It is good for you.

※ you は「あなた」のほかに「話し手と聞き手をふくむみんな」の意味があります。

（5）私は飲みます（何を）4はいのコーヒー（どれぐらいの割合で）1日につき

I drink four cups of coffee a day.

※aには「～につき」という意味があるので、a dayで「1日につき」になります。

three days a week 「週に3日」

nine times a month 「月に9回」

track 97

1 I'm a coffee person.

2 It tastes and smells good.

3 It keeps me awake.

4 It's〔is〕good for you.

5 I drink four cups of coffee a day.

❶＝I like coffee.

❷＝It tastes good and smells good.

❸＝It keeps me from sleeping.

※ keep A fromBで「AにBさせない」という意味です。

❹＝It's good for your health.〔ヘオすッ〕

＝It's healthful.〔ヘオすッ フォー〕

❺＝I have four cups of coffee a day.

健康によいは、healthyではないのですか。

それも正しい英語ですが、healthfulの方がよく使われるのです。

98 3つの理由をのべる

First（まず）、Second（次に）、Third（最後に）と
To　sum up（要するに）を使って
英語らしい話し方をすることができる

下のフレーズを、英語で話してみましょう！

1　私はずっと家にいるのが好きです。

2　まず、私は家にいるとき、
私は心がやすらぎます。

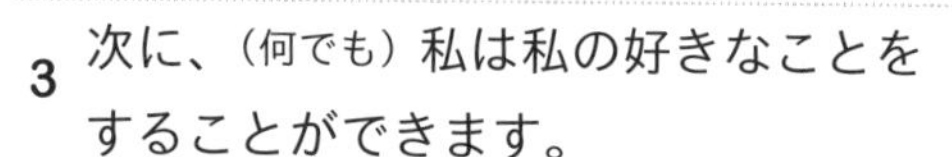

3　次に、（何でも）私は私の好きなことを
することができます。

4　最後に、私は私の時間を自由に使えます。

5　要するに、家にまさるところはないのです。

❶自分の**意見**をのべる
❷**First,**（まず、第一番目に）、と前置きして理由その1をのべる
❸**Second,**（次に、第2番目に）、と前置きして理由その2をのべる
❹**Third,**（最後に、第3番目に）、と前置きして理由その3をのべる
❺**To sum up,**（要するに）から始めて結論をのべる

こうしたパターンを使うことで英語らしい話し方ができます。

これだけは覚えましょう

まず to begin with〔チュ ビギン ウィずッ〕、first of all〔ファ～スタヴォーオ〕、
次に next〔ネクッスットゥッ〕、　最後に finally〔ファーイナリィ〕

ここで使う単語

私は、～が（大）好きです　I am fond of 〔アーィ アム ファンダヴッ〕

～を楽しむ　enjoy 〔インヂョーィ〕

～をして楽しい時をすごす　have a good time 〔ヘァヴァ グッ・ターィムッ〕

～は何でも　whatever 〔ワテヴァ〕

track 98

1 I like staying home.

2 First, I feel relaxed when I stay home.

3 Second, I can do what I like.

4 Third, I can use my time freely.

5 To sum up, there is no place like home.

❶＝I like to stay home.

＝I am fond of staying home.

＝I enjoy staying home.

＝I have a good time staying home.

「～すること」は　to＋動詞または動詞のing形であらわせます。

前置詞とenjoyとhave a good timeの次は、必ず～ingにしてください。

❸ what I like（私が好きなこと）

＝what I please（私が好きなこと）

＝as I please（私の好きなように）

<whatever I like（私が好きなことはなんでも）

❺There is no place like home.

noとlikeの組み合わせで、「～は最高だ」という意味になります。

長沢先生が直接回答します！

質問券

この本をよんでわからないところがあったら…
下の質問券に記入して，
明日香出版社までFAXもしくはお手紙を送ってください。
わからないところがなくなるまで，
長沢先生がていねいにフォローしてくれます。
ぜひご利用ください！

明日香出版社　FAX：　03-5395-7654

住所：　〒112-0005 東京都文京区水道2-11-5

→必ずご記入ください

お名前　　　　年齢

TEL　　　　FAX

ご住所　〒

■著者紹介

長沢寿夫（ながさわ　としお）

累計 306 万部突破！
「中学英語」といえば長沢式！

1980 年、ブックスおがた書店のすすめで、川西、池田、伊丹地区の家庭教師を始める。
その後、教え方の研究のために、塾、英会話学院、個人教授などで約 30 人の先生について英語を習う。
その結果、やはり自分で教え方を開発しなければならないと思い、長沢式勉強法を考え出す。
1986 年、旺文社『ハイトップ英和辞典』の執筆・校正の協力の依頼を受ける。
1992 年、旺文社『ハイトップ和英辞典』の執筆・校正のほとんどを手がける。

現在は塾で英語を教えるかたわら、英語書の執筆にいそしむ。読者からの質問に直接ていねいに答える「質問券」制度も好評。

主な著作：『中学３年分の英語を３週間でマスターできる本』（43 万部突破）
『中学・高校６年分の英語が 10 日間で身につく本』（25 万部突破）
以上、明日香出版社
『中学３年分の英語が教えられるほどよくわかる』ベレ出版

校正協力
丸橋一広
田上達夫
アップル英会話センター
Kevin Bradley
長沢徳尚
角谷佐和子
和田　薫
池上悟朗
池上正示
河津弘幸
夏目えりか

本書の内容に関するお問い合わせは弊社 HP からお願いいたします。

CD+音声ダウンロード付き　中学・高校６年分の英語で言いたいことが 10 日間で話せる本

2021 年　2 月　22 日　初版発行

著者　長沢寿夫
発行者　石野栄一

明日香出版社
〒112-0005 東京都文京区水道 2-11-5
電話 (03) 5395-7650（代表）
(03) 5395-7654（FAX）
郵便振替 00150-6-183481
https://www.asuka-g.co.jp

■スタッフ■　BP 事業部　久松圭祐／藤田知子／藤本さやか／田中裕也／朝倉優梨奈／竹中初音
BS 事業部　渡辺久夫／奥本達哉／横尾一樹／関山美保子

印刷　株式会社フクイン
製本　根本製本株式会社
ISBN978-4-7569-2131-4 C0082

編集担当　藤田知子

中学・高校6年分の英語が 10日間で身につく本

長沢　寿夫

100の〈コツと法則〉をおさえていけば、中高英語の大事なところの概要をつかむことができます。
長沢先生ならではのやさしい説明と、やさしい単語で作られた例文・練習問題が特長。やり直そうとして、書店に行って、どの本を選べばいいかわからない人へ、ぜひおすすめの本です。

本体価格 1300円＋税　B6並製　256ページ
ISBN978-4-7569-1815-4　2016/1発行